古代
オリンピック
への旅

THE JOURNEY
TO THE OLYMPIC GAMES
OF ANTIQUITY

遺跡・藝術・神話
を訪ねて

長田 享一 著

Kyoichi Nagata

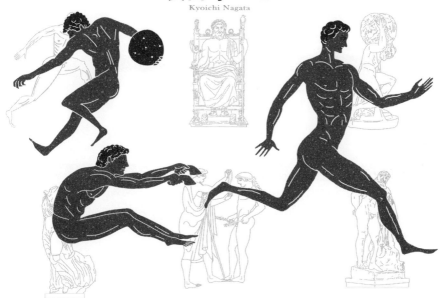

悠光堂

もくじ

　なお、ギリシャとギリシヤ、ギリシアの表記については、下記の文部科学省の指針の注2に従って「ギリシャ」とした。
　4　イ列・エ列の音の次のアの音に当たるものは、原則として「ア」と書く。
〔例〕グラビア　ピアノ　フェアプレー　アジア（地）　イタリア（地）　ミネアポリス（地）
　　注1）「ヤ」と書く慣用のある場合は、それによる。
〔例〕　タイヤ　ダイヤモンド　ダイヤル　ベニヤ板
　　注2）「ギリシャ」「ペルシャ」について「ギリシア」「ペルシア」と書く慣用もある。
　　　　　　　　　　　　　　　　　　　文部科学省ホームページ「外来語の表記」より

　ただし、すでに出版されている書籍名などで使用されていたり、一般に通例として使用されている「ギリシア」についてはそのまま用いた。
　また、人名、地名についてはギリシャ文字の発音とギリシャ文字からラテン語を経由して英語読みになったもの、または直接英語読みになったものなどが混在する。そのため、読者がインターネットなどから項目を検索して学習しやすいように、英語表記をできるだけ併記した。

オリンピアの街へのゲートウェイとなっているカタコロン港

　古代オリンピック大会発祥の地のオリンピア、現在でもオリンピックの聖火は、ここにある古代オリンピア遺跡のヘラ神殿跡で採火されています。古代ギリシア神話によれば、ここオリンピアは古くから「聖なる森、ゼウスの礼拝地」として知られていました。この地は花いっぱいの谷と二大河川が流れ、小高い山を控えた土地で神々を祀るのにふさわしい土地であったといわれます。現在のクロノスの丘あたりにゼウス神のクロニオンの神域が築かれましたが、ゼウス神がクロノスの丘に代わってオリンポス山[※1]の主神となると、ゼウス神の聖なる巡礼地としてさらに栄えたといいます。

　令和2 (2020) 年、東京でオリンピック・パラリンピック大会が開催されることになり、前年から東京は盛り上がりを見せはじめました。私はスポーツが得意ではないのでオリンピックにあまり興味や関心はありませんでしたが、オリンピアの地を訪ね、古代オリンピック大会の歴史を知ることで、このスポーツ（体育・運動）の祭典が、神話と結びつきさらに藝術と結びついていることに関心を持つようになりました。その関心はオリンピアの遺跡を見学し、考古学博物館を訪問し遺跡からの出土品の展示を観てから急速に増

※1 オリンピアの北約 300km、標高 2,917m のギリシャ最高峰。

しました。その2日後にアテネのアクロポリス神殿を見学してからその思いはさらに増していきました。

　現代のオリンピックは、メダルの獲得数や記録を打ち立てることに関心が行きがちです。そしてそれは、国の威信という私にはあまりよく理解できないところまできています。スポーツを楽しむ、オリンピックが平和の祭典—古代オリンピック大会開催中は休戦することになっており、さらに神々への感謝や豊穣に対する祈りや感謝の祭典であったということに深い感銘を覚えました。皆さんも今の大会と比べてみましょう。時代の移り変わりでオリンピックの理念が変化しても致し方ないかもしれませんが、私はこの地を訪問することで、オリンピックそのものを考える機会となりました。

　この本を手にした皆さん方がこれを入り口として、教室で学習した世界史や日本史をもとにオリンピックの歴史を学ぶことで、より視野を広げていただけたらこの上もない喜びです。そして、皆さんがいつかギリシャのアテネやオリンピアの地を訪れて自分の目で観て、肌で触れ、現地の人々と交流してより深く古代ギリシャ世界を観る機会に触れるように希望する次第です。

　古代オリンピックに関する本は現在では、公共の図書館などでしか手にすることはできません。そこで本書は著者の現地訪問などをもとに、いくつかの文献を参考にしながら、中学生・高校生向けに解説したものです。表題にあるように中学生・高校生向けに古代オリンピック大会に関する事柄を解説しましたが、一般の方々にも読んでいただきたいと願っております。

　古代オリンピックを識り、近代オリンピックを楽しんでください。

オリンピア（Olympia）の地を訪ねて

古代オリンピック発祥の地、ギリシャのオリンピア。現在でも、オリンピックの聖火はここにある古代オリンピア遺跡のヘラ神殿跡で採火され、開催国へと運ばれます。神話にもとづくと、この地は聖なる森といわれる「アルティス：神域」とされていました。その後、北にあるクロノスの丘に全知全能のゼウス神がクロノス神に代わってオリンポス山の主神となり、ゼウス神の聖なる巡礼地となって発展していきました。

オリンピア遺跡に入る前にまずは、オリンピアがどのような地なのかを学びましょう。

1-1　オリンピアの地

オリンピア（Olympia）は、オリンピック発祥の地としてよく知られています。しかし、地図を開いてここだ、といえる人は少ないでしょう。

古代オリンピアの地とは、古代オリンピック大会開催地として知られる古代ギリシャの都市、およびその遺跡をさします。オリンピアは、ギリシャ神話の主神たる全知全能の神とされたゼウス神を祀る古代ギリシャ人にとって、最も尊い神聖な地でした。ギリシャ最大の半島であるペロポネソス半島の西側のイオニア海に面した港町カタコロンからバスで東へ40分ほど行った場所にあります。イタリアのヴェネチア（ベニス）からアドリア海・エーゲ海を

巡る大型客船の旅でギリシャのカタコロン港に寄港した際に、オリンピア遺跡や考古学博物館を巡るバスツアーがあります。

　陸路で、オリンピアまで行くには、首都アテネ市内のシンタグマ広場からバスでキフィスウ・ターミナルへ行き、チケットを購入し、さらに直通バスを使う方法があります。所要時間は約5時間半で、直通は1日2本のみです。または、途中のピルゴスまで行き、そこからバスでオリンピアまで行く方法もありますが、これも所要時間5時間半ほどかかります。アテネからの日帰り旅行では時間的に無理があります。オリンピアでは1泊してオリンピア遺跡や考古学博物館を見学したり、市街地の散策やオリンピック関連施設などを見学するのが良いでしょう。

　オリンピア遺跡の西側にアルヘア・オリンピア（古代オリンピア）という名の平野部から山岳部までの広大な市域を持ち、オリンピアはその最南部に位置した人口1,400人ほどの町です。町には県都ピルゴスとを結ぶ鉄道駅などがあります。20世紀になって観光が町の重要な産業となりました。オリンピアの街は自然に恵まれ温暖な地です。南にアルフェイオス川：Alpheios Riv.（古代ギリシャ語読み、現代ギリシャ語ではアルフィオス川）と西にクラディオス川：Kladeos Riv.が流れ、これまでにもよく氾濫をおこしました。北にはクロノスの丘があります。

　オリンピアの地と日本の位置とを座標で比べてみましょう。ギリシャの首都アテネの位置は北緯37度58分・東経23度43分、東京（港区麻布台）の位置は北緯35度39分・東経139度

オリンピアの位置図

44分で、オリンピアの位置は日本でいえばほぼ福島市（北緯37度44分・東経140度28分）の位置に相当します。中学校・高等学校の社会科で用いられている、ほとんどの地図帳には記載されています。地図帳によっては、博物館の地図記号（血）とともに掲載されている場合もあります。

1-2　オリンピアの歴史

　ゼウス神と他の神々が、崇拝されたこの地で古代オリンピック競技大会が生まれました。すべての人類に共通の尊厳に満ちた世界観とスポーツに関する純粋な理想が古代オリンピック大会での精神として日の目を見ることになりました。「身体と精神の調和」という高い理想をもちその目標をもって、アスリートたちは栄誉という報酬だけのために、公正な競技規則に則って競技を行うべきことを学びました。それは、競技の勝利者に与えられる「コチノス：kotinos」と呼ばれる野生のオリーブの木で作られた質素な王冠（ステファン）が、象徴的に表していました。聖地オリンピアの歴史に残る出来事として、支配的な神のゼウスのもとでその独自性と気高さを競い合うことで4年ごとに開催されるオリンピックとして、千年以上もの間、何世代にもわたって続いていくことになります。この理想のもとに、古代オリンピック競技は築き上げられていくことになります。

先史時代（紀元前 4300 年―紀元前 1100 年）

　古代オリンピック大会の歴史を調べることは、時代の霞の中をさかのぼるようなものです。歴史上この地が明らかにされ始めたのは、新石器時代後期（紀元前4300年―紀元前3100年）とみられています。ミケーネ時代（紀元前1450年頃―紀元前1150年頃）になると、エリスの王が率いるアイトリ

※2 古代ギリシャ南部の地方の一つ。コリンティアコス湾北岸の山岳地方を指し、現代のエトリア＝アカルナニア県の東部にあたる。

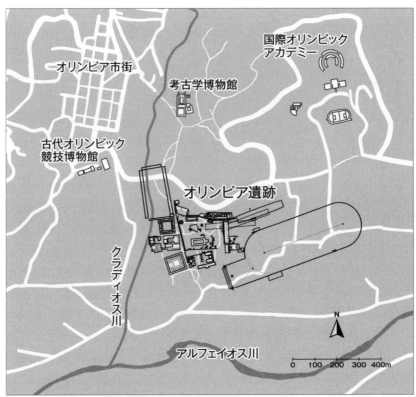

オリンピア遺跡とその周辺図

ア※2人がエリスに定住しました。彼らは聖地の周囲に小さな集落を作りました。その頃はゼウス神の崇拝が始まった時期で、かつて居住地であったオリンピアは宗教上の聖地となり、その歴史を通して現在見られるような形で残っています。ミケーネ時代にペロプス王※3とオイノマオス王：Ominomaos※4の神話によると、この時期には競技会が開催されたとされています。

※3 ギリシア神話に登場する英雄。ペロポネソス半島の地名はペロプス王に由来している。オリンピック競技の創始神話での一説となっている。
※4 ギリシア神話に登場する人物で、たいへんな愛馬家。娘ヒッポダメイアの求婚者を戦車競走で負かして殺害したということで有名。

幾何学模様の時代（紀元前 10 世紀―紀元前 8 世紀）

　幾何学的な紋様を施した多くの青銅器と粘土製の奉納物の出土品（人形、テーブルや椅子、その他の置物）があったことは、オリンピアがすでに非常に重要な全ギリシャ世界における宗教的な中心地であったことを明確に証明しています。この時代にはこの地では、松、樫の木、野生のオリーブ、ポプラ、スズカケの木々によってアルティス：Altis（オリンポス山の神域、神聖な森に囲まれた聖域）となりましたが、大きな建物もなく低い壁やペリボロス（囲壁）がめぐらされていました。

　ペロピオン（ペロプス王境内）、ゼウスの大祭壇、オイノマオス王の館、ヒポダメイオン（ヒッポダメイアの境内）、その他にもさまざまな神の崇拝のための小さな祭壇がありました。オラクル（神託）の言葉に従って、最も重要な都市があったエリスの王のイフィトス：Iphitosによって、紀元前776年に古代オリンピック大会が開催されたのもこの時代です。当時、大会は全ギリシャ世界を対象に想定していました。

アルカイック期（紀元前 7 世紀―紀元前6世紀）

　アルカイックとは、「太古」「始まり」を意味します。最初にヘラの神殿が建設され、ブリューテリオン（評議会場）：Bouleuterion＝Council House、プリュタネイオン（迎賓館）：Prytaneion、そして宝物庫：Treasuriesなどの重要な建物が建てられました。この時期にはこの繁栄していた聖地に奉納するために、ギリシャ各地から貴重な奉納品が集められました。この時代のスタディアム（Ⅰ）（18頁、38頁参照）は、ゼウスの偉大な祭壇の前にある神域のアルティスの中に一部

オリンピア発掘歴史博物館、競技博物館、考古学博物館などの案内板

がかかっていました（メトロオン：Metroönとザネス像（一連のゼウス像）の前からまっすぐ東に約220m）。それは、大会が神聖な性格をもっていることを示していました。

古典（クラシック）時代（紀元前5世紀—紀元前4世紀）

紀元前5世紀にギリシャ人がペルシア戦争に勝利したことは古代ギリシャ世界で起こった劇的な出来事として、特に藝術にもその跡を残し、それはこの時代に頂点にまで到達していました。聖地は繁栄し続け、集中的な建築活動の期間を終了しました。素晴らしいゼウス神殿が建てられました。他にも引き続き宝物庫、メトロオン（母神殿）：Metroön、フェイディアス：Pheidiasの工房、テオコレオン（聖職者の住居）：Theokoleon、そして浴場：Bathsなどがブリューテリオンやプリュタネイオンなどの既存の建物に追加して建てられました。紀元前5世紀の初めになると、スタディアム（Ⅲ）はアルティスの外に移転されました。それは時代とともに拡張され、より多くの観客を収容する設備になっていきました。また同時に、ヒッポドローム（馬場、戦車競走レース場）：Hippodromeが建設されました。紀元前4世紀の終わり頃に建てられたのは、レオニダイオン（ゲストハウス）：Leonidaionとフィリペイオン：Philippeion（マケドニア王が自分と家族のために建造）です。この時代には、ドリス様式のもののそばに、さらに明るいイオニア様式や華やかなコリント様式などの建物も神域に出現しました（各様式の特徴は125頁のコラム参照）。

ヘレニズム時代（紀元前4世紀末—紀元前1世紀）

ヘレニズム時代になると、それまでとは違ってむしろ支配者層の彫像などが建てられていきました。クラディオス川のそばに格闘技場—体育館：Palaistra-Gymnasionが建てられ、練習場としてアスリートの要望に応えました。アルティスに立っていたオリンピックの勝利者の彫像の他に、アンティゴノス帝（王朝：Ⅰ世—Ⅲ世、紀元前306年—紀元前168年）、セレウコス帝（王朝：Ⅰ世—ⅩⅢ世、紀元前312年—紀元前63年）、デメトリオス・ポリオ

ケテス帝（紀元前336年
―紀元前283年）、アン
ティオコス1世（紀元前
291年/281年?―紀元
前261年）など、多くの
支配者やヘレニズムの
王の彫像や記念碑があ
り、これらはすべてギリ
シャ全土に皇帝たちの
存在と権力・権威を示
すために建てられまし

オリンピア遺跡に続く道。クラディオス川を渡る

た。これらの中でプトレマイオス朝のプトレマイオスⅠ世（紀元前367年―
紀元前282年、在位：紀元前305年―紀元前282年）とアルシノエ※5の記念碑
は際立っていました。

ローマ時代（紀元前1世紀―西暦4世紀）

　紀元前146年のポエニ戦争後、ローマ帝国がマケドニアを属州としたの
を皮切りに、ギリシャはローマ帝国の一部と化しました。ギリシャがローマ
の支配下に入ると、大会のオリンピック精神と競技の精神はその最高潮に
達しました。

　それでもまだ神域での建築計画にそって、時代の精神を反映した印象的
な建築物の建設が続けられました。その中には、ニュンファイオン（記念碑
的な泉）、浴場、豪華な別荘とゲストハウスが含まれていました。ローマ軍の
将軍スッラ：Sullaによる破壊（紀元前87年）にもかかわらず、神域は繁栄し
続けローマ帝国初代皇帝のアウグストゥス帝：Augusttus（紀元前63年―西
暦14年）の在任期間中（在位：紀元前27年―西暦14年）に繁栄は最高潮に

※5 古代ギリシア神話や古代エジプトのプトレマイオス朝に見られる女性名。プトレマイオスⅠ-Ⅳ世の
妻や娘達の名前。ギリシャ神話ではアルクマイオーンの妻、オレステースの乳母。

達しました。古代の旅行者パウサニアス：Pausanias※6がオリンピアを訪れた西暦2世紀になって、神域を含めた聖地の様相が明らかにされるようになりました。西暦3世紀の初めに、カラカラ帝：Caracalla（西暦211年—217年）は、ローマ帝国に属する地域のすべての住民にローマの市民権の特権を与えたことによって、この時代にはさらに盛んになりました。そして、古代オリンピック大会は、汎地中海世界に広まっていきました。

　西暦267年に、古代ローマ時代の一部族であったヘルリアン族※7が侵入してくるということで、ゼウス神殿とアルティスの南域を補修するような形で急いで外壁が建てられましが、神域全部にまで手は届きませんでした。宝物庫、ブリューテリオン、レオンダイオン：Leonidion、メトロオン、エコ・ストア：Echo Stoa※8およびペロプス王慰霊碑：Propylon of Pelopsから建築材料が侵略者たちによってはぎ取られました。これらの建物の大部分は、このようにして破壊されていきました。

初期キリスト教の時代—聖域の終焉（4世紀—7世紀）

　西暦393年に、古代ローマ帝国の皇帝でビザンチン帝国の皇帝テオドシウス I 世：Theodosius I（347年—395年、在位：379年—395年）が衰退しつつあった古代オリンピック大会を終わらせる、という命令を発しました。その後の西暦426年には、皇帝テオドシウス II 世：Theodosius II※9は記念碑に火を放ちました。しかし、それよりも大きな出来事は西暦522年と551年に2つの大きな地震があり、オリンピアの建物の大きな破壊が起こり古代の聖地としての機能はしなくなりました。この時期に、アルティス内ではゼウス神

※6 西暦115年頃—180年頃。ギリシャの旅行家で地理学者。『ギリシア案内記』の著者として知られる。この著作は当時のギリシャの地誌や歴史、神話伝承、モニュメントなどについて知る手がかりとなっている。ギリシャ以外にもマケドニアやパレスチナ、エジプト、イタリアなどを訪れている。
※7 西暦3世紀にアゾフ海近くの黒海の北部に住んでいた東ゲルマン人の部族。
※8 ストアとは、ギリシャ建築で一般的な公共建築の一つで、正面に列柱、後面を壁にした細長い吹きさらしの建物。二階建てだったり、部屋があったりもする。
※9 392年にキリスト教を東ローマ帝国の国教に定め、東西に分裂していたローマ帝国を実質的に1人で支配した最後の皇帝となった。

殿とスタディアムの間に小さな農村集落が発生しました。初期のキリスト教のバシリカ式（36頁参照）の教会堂が、フェイディアスの工房の廃墟の上に建てられました。しかし、その場所は7世紀には神域の全域が徐々にクロノスの丘から滑り落ちた土砂や、アルフェイオス川とクラディオス川の洪水による泥土の下に埋もれてし廃墟と化してしまいました。そのためその後、何世紀にもわたってオリンピアの地は忘れ去られてしまいました。

　19世紀になって神域の歴史が復活したのは、アテネにあるドイツ考古学研究所による発掘調査によるもので、途中中断することがあったものの今日まで発掘は続けられてきました。2002年から2004年にかけて、ギリシャ文化省によってドイツ考古学研究所と共同によりアルティス内の記念碑の発掘・調査・復元・保護プログラムが実施され、建物内のすべてのモザイク画と石の銘刻文字が保存され、ゼウス神殿とフィリペイオンについて調査が実施されました。

　そして、この歴史的価値のある遺跡の実態が明らかにされていきました。これにより、古代オリンピアの歴史から古代ギリシャ世界の歴史の一端を識ることができるようになりました。

　次に具体的にオリンピア遺跡がどんなものであったかを、遺跡にある建造物から見ていきましょう。

オリンピア遺跡への入り口

1−3 古代オリンピック大会発祥の地：オリンピア遺跡

4年に一度、アスリートたちの飽くなき挑戦と古代ギリシャ世界中の人々の感動と興奮を呼び起こす古代オリンピック大会は、今から約2800年もの昔、最高神とされる全知全能の神ゼウスに捧げるオリンピア大祭として、この

オリンピア遺跡の入り口に掲示している世界遺産の登録標

オリンピアの地で始まりました。広大な敷地に残る数々の建物、またこの地から発見された古代の藝術を表現した数々の彫刻や生活用品などは、当時の様子を悠久の時を超えて今に伝えてくれます。

現在ではオリンピアの街自体は小さく、遺跡とその関連施設以外に目立つようなものはありませんが、町全体がとても居心地が良い感じがします。町の中には小さなホテルやレストラン（タベルナ）がありギリシャ料理を食することができます。古代のオリンピアの地は、このように今日みられるような街でも村でもなく、わずかに一握りの聖職者と役人がこの聖地で祭事を執り行うだけで、一般の住民は住んでいませんでした。古代オリンピアは、祭典の競技が実施される前は、有名な神託所であったといわれています。

アルティスを含む神域とされるオリンピアの遺跡は、クロノスの丘の南の麓にあります。アルティスは東西200m・南北175mほどのほぼ四辺形で、これは英雄ヘラクレス（ヘーラクレースとも表記）：Heraklesの伝説によれば、ヘラクレスが高貴な彼の父を祀るためにこの場所を決めたといわれています。先史時代には、ゼウス神の大祭壇のあたりに住居跡があったとみられています。まずこの古代オリンピック大会が開かれ、温暖な地とされていた

オリンピアの遺跡にあった神々を祀る建造物や大会に関連した建物、記念碑、祭壇などを紹介していきます。

オリンピア遺跡の外観図

まず遺跡の概略を見てみましょう。ここでは建造物遺構の解説が主となりますので、18—19頁に掲載の遺跡の見取り図と筆者が撮影した写真を見ながら読み進めてください。

オリンピアの遺跡は西にクラディオス川と南に流れるアルフェイオス川との合流点、北には小高いクロノスの丘の南麓とに囲まれ、木々の中には、春に咲くセイヨウハナズオウ※10、セイヨウキョウチクトウ（オリアンダー）、そして野生の花が咲きそろい、シクラメンやアネモネの花があちこちに広がっていたようです。オリンピアを訪れる現代の人々は、この種類豊かな色の御馳走に巡り合えることができ、聖地特有の景観に遭遇できたと想像することができます。

オリンピア遺跡については、西暦2世紀にこの地を訪れたパウサニアスが『ギリシア案内記』（全10巻のうちの第5，6巻）のなかで、オリンピアを巡る神話、大会についての歴史、ここにあった神殿をはじめとした数々の建造物、奉納されていた多くの像等について詳細に記述しています。オリンピアの地の解明は、このパウサニアスの記述によるところが多く、大変役立っています。

しかし、不幸なことに南に流れるアルフェイオス川と西に流れているクラディオス川の合流点にあたり、神域は地震や洪水の自然災害や侵入者による破壊などを被ったため、聖域は壊滅的打撃を受けました。

オリンピア遺跡は、1989年に世界遺産に登録されています。整備された

※10 マメ科ジャケツイバラ亜科の落葉灌木で、南欧から西南アジアにかけて自生する。春に濃い桃色の花をたくさんつける。

道を行きクラディオス川の橋を渡って右手に曲がり公園入り口にたどり着きます。

　公園入り口から進んで、橋を渡り右に曲がると遺跡に入る道とクロノスの丘の麓を回る道との分岐点があります。右手に曲がるとすぐ右にはギュムナシオン：Gymnasion、まもなく左手に最初の建物のプリュタネイオン：Prytaneionがあります。すぐに続いてアルティス：Altis※11が見えてきます。ここが遺跡の中心部です。まず、アルティスの神域から見ていきましょう。

　遺跡のメインは神域で、さらにその中でも神殿、宝物庫、そして祭壇を囲むペリボロスの壁に囲まれた神域の中心部がアルティスです。ここにあった記念碑のなかには、かつては存在したものの現代まで残ることのなかった何百もの奉納された青銅や大理石を用いた彫像が立っていたといわれています。アルティスの西側から南側は囲壁で囲まれており、東側は反響列柱館：Stoa of Echoで競技場などと隔てられており、北側にはクロノスの丘がアルティスを見下ろすようにあります。アルティスとその周囲の建物群の東側にはスタディアム（少しずつ東側に移動していった）と馬場（ヒッポドローム）がありました。

アルティス内の建造物

　アルティス内にある主な建物は、ゼウス神殿、ゼウスの祭壇、ザネス像（一連のゼウス像）、ヘラ神殿、宝物庫、ニュファイオン、プリュタネイオン、フィリッペイオン、ペロピオン、メトロオンなどがあります。

　入り口から緩やかな坂を下って、アルティスに隣接した最初にみる建物としては、ほぼ正方形の遺構、**プリュタネイオン**（迎賓館）：*Prytaneion*があります。ここにはプリタネイ（執行委員）が在住し、大祭が行われる時の役人の館でもありました。神域における中央管理棟であり、建物は最も重要なものの1つでした。紀元前6世紀の終わりから5世紀の初めにかけて建設されま

※11 聖なる森、神域の意。オリンピアにおける神域の呼び名。ここでは、文章によってアルティスと神域の両方を使い分けた。

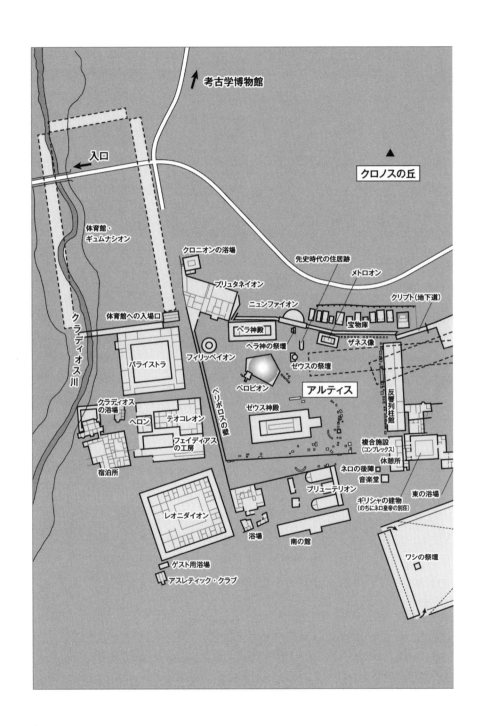

考古学博物館

入口

クロノスの丘

体育館・
ギュムナシオン

クロニオンの浴場

先史時代の住居跡

メトロオン

プリュタネイオン

ニュンファイオン

クリプト（地下道）

クラディオス川

体育館への入場口

ヘラ神殿

宝物庫

ザネス像

バライストラ

フィリッペイオン

ヘラ神の祭壇

ゼウスの祭壇

ペロピオン

アルティス

反響列柱館

クラディオスの浴場

ヘロン

テオコレオン

ゼウス神殿

ペリボロスの壁

フェイディアスの工房

複合施設
（コンプレックス）

休憩所

宿泊所

ネロの後陣

音楽堂

ブリューテリオン

ギリシャの建物
（のちにネロ皇帝の別荘）

東の浴場

レオニダイオン

浴場

南の館

ワシの祭壇

ゲスト用浴場

アスレティック・クラブ

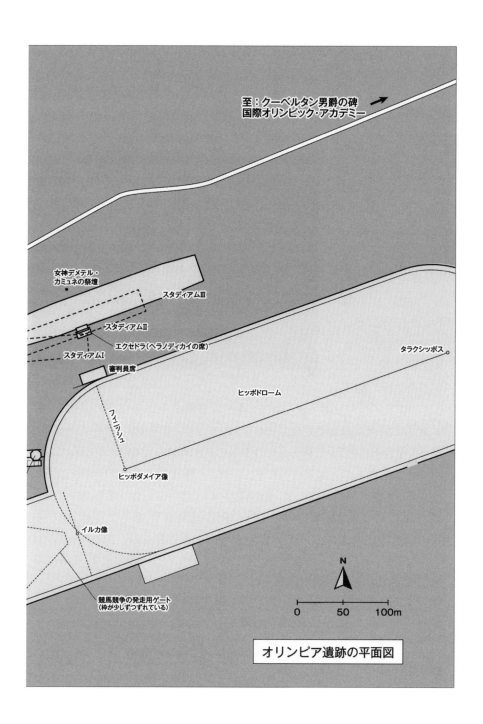

至：クーベルタン男爵の碑
国際オリンピック・アカデミー

女神デメテル・
カミュネの祭壇

スタディアムⅢ

スタディアムⅡ

エクセドラ（ヘラノディカイの席）

スタディアムⅠ

タラクシッポス

審判員席

ヒッポドローム

フィニッシュ

ヒッポダメイア像

イルカ像

競馬競争の発走用ゲート
（枠が少しずつずれている）

N

0　　　50　　　100m

オリンピア遺跡の平面図

した。当初それは、少しずつ小さな正方形の建物が追加されていくようにして建て増しされていきました。競技大会での優勝者を記念した公式の饗宴は、北側または西側のホールで開催されました。

プリュタネイオンを過ぎた右手に**フィリッペイオン**: *Philippeion*※12があります。建物の名前は、紀元前338年にカイロネイアの戦い※13に勝利した記念にゼウス神に捧げたマケドニアの王フィリッポスⅡ世に由来

フィリッペイオン跡を見る

しています。フィリッポス王の死後、建物は彼の息子にあたるアレキサンダー大王の時代になって完成しました。カイロネイアの戦いでギリシャ内のポリス連合軍に勝利し、自分がギリシャの支配者になったことを印象づけるために建てたものと考えられます。イオニア様式の円形堂で内側には9本のコリント様式の柱があって、その直径は15.25mにもなります。フィリッペイオンは、ゼウスの聖地の中で唯一の円形建築物で、最もエレガントな古代の建物の1つと見なされています。入り口の反対側には、5体の金と象牙からなるクリセレファンタス彫像が祀られていた台座があります。彫像の見事な修復作業は、2005年に終了しました。

※12 オリンピア遺跡にあるイオニア様式の円形建築物で、古代において最も優美な建築物のひとつ。
※13 紀元前338年、ギリシャのカイロネイア（アテネ北西のボイオティアにある町）におけるマケドニアのフィリッポスⅡ世とギリシアのアテネ・テーベ連合軍の戦い。連合軍は善戦したが、重装備した歩兵部隊と騎馬部隊を併用したマケドニア軍に敗れた。

アルティス内の最大の建造物は、**ゼウス神殿:*Temple of Zeus*** です。巨大なゼウス神殿は、アルティスの中心部の、よく目につく場所に建てられていました。この神殿は、紀元前472年にトリフィリア族※14との争いで勝利したエリスによって獲得された戦利品によって建てられました。その建設は、エリスの建築家として知られていたリボン:Libonによって紀元前470年に建設が始まり、紀元前456年に完成しました。ペロポネソス半島で最大の神殿であり、ドリス様式神殿の完璧なまでの表現形態と考えられています。この神域のほとんどの建物と同様に、建材は地元産の礫岩（貝殻の化石を含む）です。当時運行可能だったアルフェイオス川を筏を使ってオリンピアの東にあった14kmさかのぼった現在のルーヴロス:Louvros村の古代の採石場からここまで運ばれてきました。白い大理石の化粧用漆喰を壁や柱の表面に塗りました。ペディメント※15の彫刻、タイル、そしてライオンの頭の形をした噴出口などは大理石で作られていました。

　1877年に発掘調査に参加したW.デルプフェルト:W. Dörpfeldの資料によると、神殿の高さは切妻壁まで、68オリンピア・フィート（20.25m）、幅95フィート

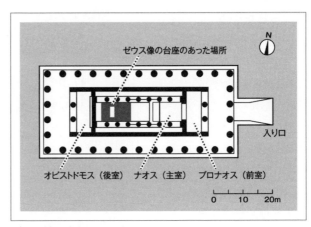

ゼウス像の台座のあった場所

入り口

オピストドモス（後室）　ナオス（主室）　プロナオス（前室）

0　10　20m

ゼウス神殿内部の平面図

※14 古代ギリシャの部族、ペロポネソス半島西部地域の居住者であり、トリフィリアという名前は、この地域に3つの異なる部族が設立されたことによる。紀元前220—紀元前217年、トリフィリアはフィリップV世によって征服されたが、ローマ時代初期にはトリフィリアの大部分が自治権を取り戻した。
※15 切妻屋根の妻側屋根下部と水平材に囲まれた三角形の部分。日本建築の「破風（はふ）」にあたる。

（30.44m）、長さ230フィート（73.70m）であったと推定されています。また
ゼウス神殿の内部は、周柱式で東西方向に伸びており、周囲に柱が短辺に
6列×長辺に13列あります（64.12m×27.68m）。柱の高さは10.43m、細い
部分の直径は2.25mからできています。

　柱廊は、素晴らしいドリス式の梁に相当する部分に渡した水平な部分が
あり、ドリス様式のフリーズ（壁面の一部：装飾部（トリグリフとメトペ）、ペ
ディメント、アクロテリア
※16によって形づくられて
いました。建物は、プロナ
オス（神殿の前室）、ナオス
（神殿内の主室）あるい
はセラ（神殿の内陣）、オ
ピストドモス（内陣部の後
ろの部屋、宝物庫としても
用いられた小室）の三室
から成っています。プロナ
オスに保存されていた床
は、海神トリトン※17のシー
ンとともにヘレニズム時
代のものです。地下室は2
列の2段に並んだコロネ
ード※18によって3つの通
路に分けられ、各列には7
つのドリス様式の柱があ
ります。中央通路または

ゼウス神のクリセレファンティン彫刻像（予想復元図）

廊下の終わりには、偉大な彫刻家フェイディアス：Pheidiasによって作られ古代世界の七不思議の一つと考えられている、高さ13mにおよぶゼウスのクリセレファンティン彫刻像（金と象牙で装飾されていた座像）があります。木製の階段が脇にある通路から上のギャラリーへと続いていて、そこから像全体の大きさが見られます。古代オリンピック大会の廃止とともに、巨大な像はコンスタンティノープル（東ローマ帝国の首都であった都市で、現在のトルコの都市イスタンブールの前身）に移され、そこで西暦475年頃の火事で破壊されてしまいました。

　神殿には目を見張るばかりのペディメントがあり、彫刻上での厳格なスタイルの良い例でいくつかのものは素晴らしいものとしてオリンピア考古学博物館に展示されています。この考古学博物館のギャラリーにある東ペディメントのものには、ペロプスとオイノマオス王の戦車競争の様子を示しています。西ペディメントに表現されているのは、ラピスとケンタウロスの戦いです。プロナオスとオピストドモスの入り口の上にある12のメトープ[19]は、ヘラクレスの難業を示した彫刻によって装飾されています（111頁参照）。

　コロネードの外側のメトープは装飾されていませんでした。西暦146年には、イスモス（現在のコリント地峡付近）でのギリシャ人に対する勝利を記念して、ローマ軍の指揮官ムミウスによる神殿への奉納物として、21の豪華な青銅製の盾がここに掛けられました（コリント様式の破壊）。ゼウス神殿の南東隅に立っていたのは、現在考古学博物館に展示されているメンデの彫刻家であったパイオニオス：Paionios[20]制作の高さ約9mの女神ニケの像でした。ニケ像は、東ペディメントの中心的なものです。

※18 列柱、柱の並び。古代の建築において異様に高い梁で連結された柱の並びを指す。柱頭の上部は水平に渡された装飾されたエンタブラチュアと呼ばれる部材でつながっていた。
※19 ドリス様式のフリーズ（柱の上の部分に載る水平の部分）に二つのトリグリフと交互に配置される三分割された部材）の間にはめ込まれた石板で、一般にレリーフが彫られている。
※20 メンデ（ギリシャの中央マケドニア地方ハルキディキ県の都市）出身として知られ、紀元前5世紀後半の彫刻家。1875年にオリンピアで発見された『ニケ』（オリンピア考古学博物館）の像が現存し、古代ギリシャ彫刻の代表的作風を示している（119頁参照）。

神殿の南西の角には、言い伝えによるとヘラクレス自身によって植えられ、そこから勝者の冠のために枝が切り取られ「優勝者に与えられる美しい王冠」となるオリーブの木が育てられていました。それが西暦426年に、テオドシウスⅡ世：Theodosius Ⅱの時代になると火事がこの神殿を襲いました。その後、6世紀の2回（522年、551年）の大きな地震によってさらに破壊されてしまいました。この神殿は、その建築と壮大なペディメンタルで特徴づけられるという点で、ギリシャ藝術の記念碑となる象徴的な存在

パイオニオスの女神ニケ像

といえます。神殿の正面の東側のペディメントには、ゼウスを中心として「オイノマオス王とペロプスの戦車競走」、西側のペディメントにはアポロン神を中心とする「ケンタウロスとの戦い」があり、またプロナオスとオピストドモスの入り口の上には「英雄ヘラクレスの12の難業」（111頁参照）も表現されていたと考えられています。

神殿の北西の柱の修復は、2004年の夏に完了しました。これは、今日までにアルティスで行われてきた修復作業のうちで最も重要な工事でした。

何世紀もの間にわたって神の崇拝のまとであった**ゼウスの大祭壇：Altar of Zeus**は、おそらくペロプス王の墓とヘラ神殿の東にある場所に立っていたと考えられます。祭壇の場所は、広い範囲に広がる厚い火山灰層によって覆われてしまい残っていませんが、その存在は明らかです。神話では、ゼウス自身がオリンポス山から落雷を投げつけて、この地を祭壇の位置に決定

したといわれています。パウサニアスが訪れた頃には、その高さは7m近くもあったといわれています。英雄ヘラクレスがゼウス神に身代わりとして捧げるために、ポプラ木材だけが用いられていました。

　高さ約3mのクレピス：krepis※21には、メインの祭壇がスタディアムに通じる道に沿って、高台の宝物庫の麓に、競技大会の規則を破った運動選手に課された罰金によって複数のゼウス神の像の**ザネス像：Zanes**が建てられていました。残っている像の台座には、「不正な手段によるのではなく、オリンピック大会での勝利のためにアスリートが自らの肉体的な頑健さを競うものとされるべきだ。」ということを促す碑文があったといわれています。競技大会に出場している人たちへの戒めを心に刻んで大会に挑むこととして、一連のゼウス像はスタディアムの入り口の目立つ場所に置かれていました。

　パウサニアスによれば、像には、「オリンピア競技大会の優勝は、金銭の力によってではなく、脚の速さと身体の頑健さによって獲得されなくてはならない」という文言が書かれていたといわれています（桜井・橋場：『古代オリンピック』（2004）より引用）。またパウサニアスは、アスリートへの罰について次のように記述しています。6体の彫像は、対戦相手である選手の3人に賄賂を渡したとしてテッサリア（ギリシャ中部の地域名、穀倉地帯）のボクサーのユーポロス：Eupolosに課された罰金で第98オリンピアード（紀元前388年。42頁のコラム「オリンピアードという名称について」を参照）の時に作られました。そして第112オリンピアード（紀元前332年）に、アテネの五種競技のアスリートであったカリポス：Kall posが贈収賄の罰を受け、その罰則に基づき彫像が建てられました。3体目は第201オリンピアード（西暦25年）において、エジプトのアレキサンドリアの聖職者サラピオン：Sarapionに課せられた罰金は、規則を破ったためではなくオリンピアの聖地から逃げだした臆病者だったという特別なものでした。このように紀元前4世紀から、従来の倫理的価値が破られたとされたときに罰則が課され、大会の理

※21 神殿を載せる、通常は3段より成る基壇で、最上段が床面になる

想・理念に影響を与えていたことは注目に値することです。

　フィリッペイオンの左手には、ピサの同盟国だったスキロスによって建てられたという女神ヘラを祀った**ヘラ神殿**：**Heraion**があります。神殿はギリシャ様式の寺院建築の最も初期のものの1つで、それまで

ヘラ神殿址前の聖火採火式の行われる場所

あった小さな神殿が焼失してしまい、再建された時代はおよそ紀元前600年頃のものと推定することができます。この神殿はドリス様式のもので、短辺に6本、長辺に16本の円柱（50.01m×18.76m）を連ねて建てられていました。これはプロナオス、セラ、そしてオピストドモスからなっています。

　柱の高さは5.21mでもともと木製のものでしたが、これらは徐々に石の柱に置き換えられました。紀元前170年にパウサニアスがオリンピアを訪問したとき、オピストドモスにはまだ一本の木の柱が立っていたといわれています。柱の交換は徐々に行われてきたので、新しい柱、特に中心となる柱は、それらが作られた時の様式に従っているので、互いに異なっています。このように、古代からローマ時代にかけてドリス様式建築で全体に発展していったことを示しています。

　ヘライア祭[22]（86頁参照）の優勝者が描かれた肖像は、吹き抜けの柱廊にある浅い正方形のくぼみの中に置かれていました。神殿の下部と円柱は、取り換え時にはいろいろな石で作りかえられていきました。焼成されて

※22 古代のヘライア祭は、女性アスリートだけが参加したイベント。このイベントはギリシャ神話の女神ヘラを称えるために開催された。古代のヘライア祭について残っている記録や書き物はほとんどなく、今日利用できる情報はすべてパウサニアスの著作からのものです。次の4つのレースがあった。スタディアム：女子トラックでのスプリントレース（177m）、ディアウロス：女子トラックでの2周レース（354m）、ヒッピオス：女子トラック（708m）での4周レース、ドリコス：女子トラックでの18—24周のレース。

いないレンガが、壁の上部に使用されていました。柱頭から軒上端までは塗装された木製で、屋根瓦は粘土製でした。現在は、オリンピア考古学博物館）に所蔵されています。石の台座がまだ保存されている地下室の奥には、ゼウスとヘラの両神像が立っていました。

　神殿は一種の美術館のようでゼウス像、ヘラ女神像、赤子のディオニソスを抱いたヘルメス像などがあって、そこには神域における最も貴重な奉納品のいくつ

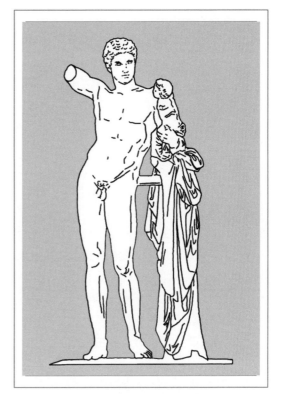

赤子のディオニソスを抱いたヘルメス像

かが保管されていたようです。

　神殿の前には**ヘラ神の祭壇：*Altar of Hera***がありました。1936年にベルリンで開催された近代オリンピック大会から始められた大会のための炎の採火は、ここで行われています。平和の象徴であり、都市国家間の和解の印とされる聖なる炎は、太陽の光線を採光器によって集められて灯されます。そこで、巫女は最初のランナーに聖火が渡され開催地まで炎の旅が始まります。こうして、オリンピックの理想が発祥地のオリンピアから全世界に向けて平和のメッセージとして伝えられることになります。

ヘラ神殿の南には、アルティスの中で目立ったものの一つとして挙げられるペロプス王の墓である**ペロピオン：*Pelopion***がありました。遺跡中には、オイノマオス王との戦車競争に勝利したペロプス王に関するものが多くあり、その中でもこの墓はアルティスで最も初期の建造物として、巨大な古墳（直径27m）と石造りの塚がありました。その時代はヘラディック期（紀元前2500年頃）にさかのぼります。おそらく先史時代における神性をもつものとして、ここで崇拝がされていたことを示しています。この区画は先史時代後期になると破壊されたらしく、紀元前6世紀に再建され、紀元前5世紀になると南西側にドリス様式の五角形の囲い壁（ペリポロス）によって囲まれた記念碑となりました。

　ここには動物の生贄を捧げるための円錐台の形をした祭壇があり、ローマ時代まで祭壇としての役割を果たし続けましたが、キリスト教の出現で廃れました。そこは、固められた土と灰の山で造成され、その頂上ではペロプス王に敬意を表して羊が生贄として捧げられました。司祭は階段を上っていき塚の頂上で祭礼を行いました。パウサニアスによると、毎年管理人がペロプス王の墓に黒い牡羊を生贄にとして捧げていたと記しています。

　現在では、目立った建造物があったにもかかわらず、その正確な位置やどのような役割を果たしていたかなどがわからないものがあります。ペロプス王の墓の東にはおそらく妻のヒッポダメイア[23]に捧げられた区画であったヒッポダメイオンがあったと思われます。その正確な場所は見つかりませんが、おそらくこの区画も火事によって破壊され、残った唯一の木造の柱はオイノマオス王の邸宅のものだっただろう、とパウサニアスは述べています。ヘラ神殿の南東に6つの先史時代の建物が発掘されましたが、今日見ることができるのはたった1つだけです。それはヘラディック期の初期青銅器時代の終わり（紀元前2150年―紀元前2000年）までのものとされています。

※23 ギリシア神話に登場。女性名で、「馬を飼いならす者」を意味する。

ヘラ神殿の右手奥には**ニュンファイオン：Nymphaion**があります。これは、西暦160年に芸術の守護神ヘロデス・アッティクス：Herodes Atticus[24]と彼の妻レジラ：Regillaが神域に捧げた水供給システムの跡です。これは、特に大会の開催時には一次的であったとしても水供給の問題を解決しました。ニュンファイオンには2つの貯水池があり、1つは半円形でもう1つは長方形をしており、高さの異なる2つの貯水池が正面にある2階建てで、両脇に丸屋根（直径16.62m）の張り出した形をしていました。壁は多色の大理石でできていました。2階建ての半円形の壁の各階には11の隙間があり、そ

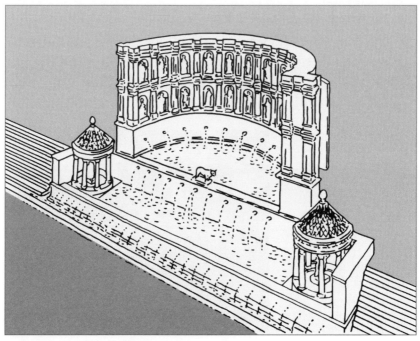

ニュンファイオンの予想復元図

※24 西暦101年—177年。アテネの大富豪、哲学者。161年にアテネにあるアクロポリス南西斜面にある屋外音楽堂は、貴族でローマの元老院議員であった彼が、妻を偲んで建設した施設として有名。

れぞれに大理石の彫像が飾られています。上階にはヘロデス・アッティクスの家族の彫像がありました。下の階には、アントニウス・ピウス：Antoninus Pius※25とその家族の彫像がありました。各階の中央の隙間には、ゼウスの彫像があり、また階上の貯水池の真ん中には、水に関係したレジラに捧げるための牡牛の大理石像がありました。貯水池に水を集めるために、もっと広い区域の丘の泉からパイプによって供給されていました。給水システムによって、水は聖地地内にパイプを用いて循環させていました。ニュンファイオンから発掘出土した彫像の多くは、考古学博物館に展示されています。

　古代には、クロニオンの丘の南斜面のニュンファイオンの東の少し小高い位置に**宝物庫：*Treasuries***が建てられました。それらは寺院の形をした小さな建物で、地下室やプロナオスがあり、さまざまな都市から神域に捧げられたものが並べられていました。現在までに合計12の宝庫が残っており、そのうち西から順にシキオニア、ゲラ、メガラ、メタポンティオン、セリヌスの

5都市のものだけが判明しています。その他にシラクサイ、ピュザンティオン、シュパリスの各都市の宝庫がありますが特定が困難のようです。大部分は、マグナ・グラエキア：Magna Graeca（原義は"大ギリシャ"、南イタリアおよびシチリア島を含む一帯）の都市によって

高台にあった宝物庫群の跡

※25 西暦86年—161年。第15代ローマ皇帝で、ネルウァ＝アントニヌス朝の第4代皇帝。

紀元前6世紀から5世紀の間に献上されたものでした。最も初期のものは、ヘラ神殿と同時に建てられたコリントからそれほど遠くない街のシキオニア人の宝庫でした。紀元前5世紀中頃までに、すべての宝庫が建てられました。

　アルティスの北の境界を示すものとして宝物庫の後ろのクロノスの丘側に強化壁が建てられていました。おそらく外敵や山崩れによる土砂の流入を防ぐなどの目的だったのでしょう。

　宝物庫の前には、紀元前4世紀には小さなドリス様式の神殿（20.67m×10.62m）であった**メトロオン：_Metroön_**があり、後にキュベレー：Kybele[26]として知られる諸神の母レア神の像がありました。そこは短辺に6柱、長辺には11柱があり、プロナオ、セラ、そしてオピストドモから構成されていました。ローマ時代になると、ローマ皇帝の崇拝のために使われました。ここでは、オリンピア博物館所蔵の実物大のアウグストゥス像の胴体部が見つかっています。

アルティスの外の遺構

　アルティスを囲むようにペリボロスの壁[27]（テメノスの壁とも呼ばれる）が五角形状に設置されていました。その外の西側には、運動施設がありました。北側の壁のほぼ中央にある小さな出入り口は、パライストラとギュムナシオンの間の往来に使われていました。囲壁の外の西側にあった主な建物は、パライストラ、テオコレオン、フェイディアスの工房、レオニダイオンなどです。

　遺跡の入り口から最初に右手に見られるのは**ギュムナシオン：**

※26 現在のトルコのアナトリア地域のプリュギアで崇拝され、古代ギリシャや古代ローマにも信仰が広がった大地母神。この名は「知識の保護者」の意を示している。
※27 主に、神域の壁やストアなどで囲まれた広場への入り口を構成する記念碑的な門の建築物。

*Gymnasion*です。大会の参加者たちは、この建物を見ることで神域にやってきたという実感が湧いてきたことでしょう。ギュムナシオンは、4つのドリス式コロネードまたはストア：*Stoa*[28]（120m × 220m）に囲まれた巨大な野外コートで構

神域の西側にあるパライストラ跡

成され、アスリートたちは野外競技場でランニング・レース、円盤投げや槍投げなどの練習をしていました。東側のストアは、クスュストス：xystos[29]といわれ、スタディアムの長さ（192.27m）に等しい長さの屋根付きの吹き抜けで、天気が悪く（雨または暑い日）なったときにランナーたちはそこで練習をしました。アスリートが宿泊していた館の西側の列柱館は、クラディオス川の氾濫の際の急流によって流されてしまいました。アスリートのための施設として体育練習場のギュムナシオン、レスリングの学校・競技場であった紀元前3世紀に建てられた**パライストラ：*Palaistra***、入浴施設、温浴場、ゲストハウス、工房・作業場などの付属施設がありました。

　神域の西側にあるパライストラとレオニダイオンとの間に建てられた建物として**テオコレオン：*Theokoleion***（または***Theekoleon***）があります。もともと、正方形の建物は、中央に中庭と井戸と周囲に8つの部屋で構成されて

---

[28] この建物は屋根付きの通路またはホールで、通常は吹き抜けで、一般に開放されていた。雨風や日光から人々を保護したり、時には戦利品の展示などの目的にも使用されていた。
[29] 複数形は xystoi、古代ギリシャの建築用語であり、ギュムナシオンの天井つきポルチコを指す。

遺構が発掘されたままの姿になっており、説明の掲示板も少ない

いました。この遺構は住居跡で、アルティスの司祭およびお手伝いをする人（奉仕のために木を集めた）、アルティスを訪れた巡礼者のための案内役や説明者、占い師たちの邸宅でした。ここは、紀元前5世紀に建てられ、最初は8つの部屋と中央の開放的な中庭で構成されていました。特にローマ時代の後期になると改修と拡張工事が続き、元の建物の東側にいくつかの部屋が増築されました。

　神域内の"聖なる道：Sacred Way"に沿って進むと、左側にある最初の建物は**クロニオンの浴場：Kronion Baths**、または北の浴場と呼ばれていた浴場がありました。これはローマ時代の大規模な建物で、ヘレニズム時代の入浴施設の上に建てられました。浴場は西暦3世紀に起こった地震で破壊されましたが、その後再建され拡張されていきました。

　その他に競技大会関係者のために南西端に**レオニダイオン：Leonidaion**がありました。それは、紀元前330年頃に建てられた、競技大会に参加する選手のための宿泊所で敷地内の最大の建物でした。モザイクが施された床、当時としては最先端の暖房システム、そして建物の優れた給水システムは今もなお保存されています。記念碑の台座に刻まれた素晴らしい碑文にみられるように、資金提供をした建築家でもあったナクソス：Naxos※30のレ

※30 現在、エーゲ海中部のキクラデス諸島に属するギリシャ領の島。

オニダス：Leonidasに因んで命名されたものです。大きくほぼ正方形の建物（80.18×73.51m）でイオニア式の138本の柱があり、中央には44個のドリス式の柱を備えたペリスタイル（回廊）の名所になっています。四方すべてに2つの列柱の間に部屋があります。ローマ時代になると、装飾的に飾られた美しいプールのあった場所は中央裁判所になっていました。また、建物にはプールや庭が作られローマ軍の将校の家となっていました。西暦5―6世紀にはワイナリーとガラス工房として使われていました。これは、オリンピアのなかでほぼ全部が保存されている唯一の建物です。

　アスリートのための最初の浴場が、紀元前5世紀にクラディオス川のそばに建てられ、ギリシャでは初めてのプール（24×16m、深さ1.60m）も備えていました。紀元前4世紀末には、この施設は西側に拡張されました。紀元前1世紀になると、最後の重要な拡張工事として南側に暖房機能をもった大きなホールの建物の建設が行われました。ローマ時代になると隣接して**クラディオスの浴場：*Baths of the Kladeos***が建てられましたが、その大部分はクラディオス川の氾濫で流されてしまい、今日ではほとんどその様子をうかがい知ることはできません。クラディオスの浴場は、約400㎡の面積を占めていました。アトリウム、温泉、古代風呂、更衣室、スティーム・バス、バスタブ、トイレ、さらには個室になった小さな浴場など、多くの部屋とスペースがありました。壁は色とりどりの大理石で作られており、床の美しいモザイク模様は今もなお保存されています。建物は豪華で、多くの十分な部屋があり、時代の精神に溢れています。これらの浴場は、確かにリラックスするためと特別な贅沢のためのものあり、ギリシャの浴場のように、単に日常のニーズに応えるだけのものではありませんでした。

　浴場の東でテオコレオンの傍には、紀元前5世紀後半に建てられた**ヘロン：*Heroön***がありました。内側は円形で、小さな長方形の建物です。当初は隣の浴場のスティーム・バスとして利用されていました。ヘレニズム時代およびローマ時代には、オリーブの枝に囲まれて円形の建築物の内側に見つかった「英雄の」碑文を載せた粘土製の小さな祭壇があるので、英雄を称え

るためにあったようです。それがどの英雄に捧げられたかは不明です。

　ゼウス神殿の真向かい、アルティス西部の5世紀後半に建てられたのは、**フェイディアスの工房：*Workshop of Pheidias*** です。ここでは偉大なアテナイの彫刻家でパルテノン神殿再建の総監督になったともいわれているフェイディアスが、古代世界における七不思議※31の一つとされる有名なゼウスの巨大なクリセレファンタス像を制作した工房がありました。建物の大きさは神殿の地下室の寸法と正確に一致しており、内部は2列の縦列によって3つの通路に分けられています。彫像はより広い、中央通路に置かれるように作られました。金と象牙からなる彫像は、大きな建物のメインの南のスペースを占めていました。この工房から多くの鉄や象牙などの材料だけでなく、「私はフェイディアスの工房のものである」と刻まれた陶器などが回収され、それらは現在考古学博物館に展示されています。

　廃墟となったこの工房の上に、三つの通路を持つキリスト教の大聖堂が西暦435年から451年の間に建てられました。教会の本殿：apseは、かつての工房への入り口だった東端にありました。大理石の間切りはまだその場所に保存されています。教会への入り口はナルテックス※32の南側にあり、その床は、厚い大理石が敷き詰められていました。床に敷き詰められた大理石舗装からは、その時代のさまざまな取引についての情報があったことを告げる碑文はナルテックスに保存されています。最も古くから知られているのは、初期キリスト教時代のものとされるオリンピアの木造屋根の**バシリカ式教会：*Christian Basilica***※33は、西暦551年の地震で破壊されました。この

※31 古代世界における7つの建造物：唯一現存のギザの大ピラミッド、アレクサンドリアの大灯台（以上エジプト）、オリンピアのゼウス像（ギリシャ）、エフェソスのアルテミス神殿、ロドス島の巨像、ハリカルナソスのマウソロス霊廟（以上トルコ）、バビロンの空中園（イラク）。

※32 キリスト教聖堂の正面入口の前に設けられた広間。聖堂内での儀式に参加できない未洗礼者等の場所。

※33 長方形で内部を二列か四列の柱列が並び、柱の上は桟敷状になっている。この起源はカトリック教会堂にあって、側廊のついた本堂とその端に玄関廊がある教会建築様式。

工房では、壁のオルソステート※34だけが残っています。建物の上部構造と内部の両方が、教会の部分に属しています。

　アルティスの南にあたるところには、**ブリューテリオン（評議会場）：** *Bouleuterion*や**南の会堂：** *South Stoa*、クラブハウスや浴場がありました。
　ブリューテリオンは、エリス人のブール（評議会議員）：Bouleとヘラノディカイ（審判員、競技運営員）：Hellanodikaiのための館であり、彼等の任務は大会運営を監督することでした。ここではアスリートの異議申し立てや違反を調べ、罰則が決定されました。建物の建設は紀元前6世紀に始まり、紀元前4世紀に完成しました。ローマ時代になって小規模な追加建築が行われました。ブリューテリオンは2つの長い狭い建物で構成されていました。紀元前4世紀には、複合総合施設の東側にイオニア様式の南の会堂が建てられました。内部の正方形の部屋には、Zeus Horkeios（誓いの守護者の意）の像と祭壇がありました。ここでは、大会の前に選手と裁判官が、お互いが競技の規則を尊重し、尊敬の念をこめて競い合うという聖なる宣誓が行われました。

　最後にアルティスと東側のスタディアム（競技場）・ヒッポドローム（馬場）との境には、紀元前4世紀半ばごろに**反響列柱館：** *Stoa of Echo*と呼ばれた館やローマ時代の浴場がありました。反響列柱館が建てられたとき、スタディアム（Ⅲ）はアルティスから移設されることになりました。この出来事は、時代を反映したものでした。なぜなら、この時代になると大会は宗教的というよりはむしろスポーツ競技的となっていったからです。
　このほかにアルティスの南東域には、現在**南東の建物：** *Southeast Building*とされている、炉の女神ヘスティア：Hestiaの神殿がありました。そこは、紀元前5世紀に建てられ建物が建て替えられるまでの紀元前4世紀まで機能していました。そこは、西暦1世紀（西暦65年―67年）まで中央にペ

※34 通常、壁の下部に組み込まれている深さよりもはるかに高い正方形の石のブロック。

リスタイル、アトリウム、中庭、庭園、部屋などを備えた際立った建物の複合施設でした。反響列柱館は、紀元前5世紀に建てられ建物が建て替えられるまでの紀元前4世紀まで同じように機能していました。これは**皇帝ネロの別荘**：*Villa of Nero*で、彼がオリンピアに来てオリンピックに参加する際に皇帝の居宅として特別に建てられ、オリンピックの勝利者を称えるところでもありました。建物は、西暦3世紀に**東の浴場**：*East Bath*によって覆われてしまいました。最もよく保存されている部分が南東のコーナーにあり、その中央の部屋の形によって"八角形の建物"として知られています。印象的なものは、床に海の生き物が描かれえたモザイク画が、素晴らしい状態で保存されています。ローマ時代の小さな**オデオン**（音楽堂）：*Odeion*があったと思われる名残りは、有名な**皇帝ネロのアプス**（ネロの後陣（祭壇の後ろ））：*Apse of Nero*の盤石とともに、ゼウス神殿の南にあるメインの入り口となったコンプレックス（複合施設）のうちの南西部にあったとみられます。

アルティスの東側にあった競技場

スタディアム全景

また、アルティスの東側にはスタディアムと馬場であったヒッポドロームがありました。現代のトラック競技に相当する場であったスタディアムに通じる道に沿って建てられた一連のゼウス像が、スタディアムの入り口の前の目立つ場所に置かれていました。競技大会に出場するアスリートたちは大会において正々堂々と戦うことをこの像に誓いをたて、スタディアムへと入場していきました。

競技会が開催される**スタディアム：*Stadium***※35への入り口は、今日みられるような古代ギリシャ時代（紀元前3世紀）に建てられ、地下道のようになった入り口になる**クリプト：*Krypte***を通り抜けていきました。これは、西端にローマ時代に増築されたコリント式プロピロン（門のある建物のこと）があるアーチ型の通路です。入り口の両側には、今では古代オリンピック競技歴史博物館に展示されているネメシス：Nemesis／テユーケ：Tycheの像がありました。観客は土手から入ったのに対し、アスリート、審判員、大会役員、司祭たちはクリプトを通ってスタディアムに入場していきました。

　今日私たちが見ることができるスタディアム（Ⅲ）は、紀元前5世紀のものとされています。これより2つ前のスタディアムは今では明らかな形で残っていませんが、アルティスの中に一部がかかっていました。紀元前6世紀の初めに建てられたスタディアム（Ⅰ）は、宝物庫のテラスに沿って作られていました。座席は土手ではない平らな場所で、西端はゼウスの祭壇に面していました。その地点が、大会での選手にとってのゴールでした。紀元前776年以来のスタディアムは、おそらく同じ場所にあったと思われます。スタディアム（Ⅱ）は紀元前6世紀の終わり頃に東にわずかに移動させ、観客席となる土手がコースの長辺に沿って築かれました。

　大会が最高潮に達した紀元前5世紀の初めの頃になると、スタディアム（Ⅲ）のように最終的に今日見られるような形になりました。参加するアスリートの数が増え続け、それに対応して各地からの観客数が増加したため、より大きなスタディアムを建設する必要がありました。アスレチック用トラックは、東に82m、さらに北に向かって7m移動しました。スタディアム（Ⅲ）で

※35 その距離は、砂漠において太陽の上端が地平線に現れてから、下端が地平線を離れるまでの間に人間が太陽に向かって歩く距離と定義されている。古代ギリシャの陸上競技は1スタディオンの直線コースで行われており、1スタディオン以上の競走はコースを往復した。競技場もスタディオンを基準として設計されたことから「スタディアム」という言葉が生まれた。競技場のスタートとゴールのラインが石で作られていたため、今日でもその遺跡からスタディオンの長さを知ることができる。デルポイやアテナイは178m、オリュンピアは192.27mと、地域によってスタディオンの値が異なっていた。

スタディアムの出入り口

は、少し傾斜するようにして競技を見やすいような観覧席になるよう盛り土して作られました。

　スタディアムの競争路の長さは212.54m、幅は28.50mでした。スタート地点とゴール地点の間の距離は192.27m、当時の長さの単位で600オリンピック・フィート（1フィート＝32.04cm）です。スタート地点は東側でバルビス（始点を横切って引かれたロープ）によってマークされ、スタディアムの西端にゴール地点は石を並べてマークされていました。

　スタディアムの南側には、紀元前5世紀としては壮大な競技場であった馬場とされる**ヒッポドローム：*Hippodrome***（ギリシャ語の「ウマ」の意のhipposと「道」の意のdromosを合わせた合成語）があり、観客のための土手が作られていました。ここでは馬術コンテストと戦車競走が開催されました。図面に基づくと、楕円形のヒッポドロームの競争路は約780m（一説には1周1,050m）、幅はほぼ320mありました。コースの長さのほぼ中央には、競技者を走らせるための周りに木か、あるいはおそらく石でできていたと思われる仕切りがありました。スタート地点（hippaphesis）は、肖像彫刻家

デメテル・シャムネの祭壇（37頁の左手の観客席の中央）

のクレオイタス：Kleoitas[36]によって考案された船の船首のような三角形を
した競争馬のための複雑ですが、見事にできあがったものでした。スタート
の合図用に、騎手たちに見えるように長い棒の先に青銅製のイルカの模型
が乗せられており、そのイルカが下がると一斉にスタートすることになって
いました。

　北側の土手にはローマ時代の女神の**デメテル・シャムネ：*Demeter
Chamyne***の祭壇がありました。巫女たちは、大会中ここに立っていました。
南側の土塁には、現在も保存されている石のベンチがありヘラノディカイ
のための席（エクセドラ）が設けられていました。スタディアムの座席数は、
4万人から4万5千人は収容可能でした。観客は、直接地面に座りました。ス
タディアムのなかで、いくつかの石造りの座席は大会役員用の専用席でし
た。ローマ時代になると、土手の上に木製の席が設けられ、修理もたびたび

※36 紀元前375年―紀元前328年。古代マケドニア王国の武将で、アレクサンドロスⅢ世の友人、側
近将校の一人であった。

行われたようです。トラックの周りには、川から流れ出た水を排水するための石づくりの排水路がありました。

　スタディアムの発掘調査によって、特に多くの青銅器類の発見がありました。

" オリンピアードという
名称について "

　特に、古代オリンピック競技の章でオリンピアード（Olympiad）という用語を用いましたが、この用語はオリンピック大会の開催年から始まる4年の期間であり、この単位は古代のオリンピック暦に基づいて公式に採用されました。オリンピック大会そのものを指す場合もあります（夏季オリンピックの正式名称は「Games of the（回数）Olympiad」で直訳すれば「第（回数）オリンピアードの競技大会」となる）。

　第○（あるいは第○回）オリンピアード（○は数字）は、第○回のオリンピック開催年を起点とした4年間であり、大会が何らかの事由で開催されなくても4年毎に数えることになっていました。

　オリンピック憲章によると「オリンピアードは最初の1月1日から始まり、4年目の12月31日に終了する。」と定められています。最初の近代オリンピックは、1896年4月にアテナイ（＝アテネ）で行われ（第1回近代オリンピック）、オリンピアードの起点は1896年1月1日となっています。オリンピック競技大会はオリンピアード競技大会とオリンピック冬季競技大会で構成されると定めており、オリンピアード競技大会は夏季オリンピックをさします。

　オリンピックは、必ず1オリンピアード（4年間）の1年目に行われ、もし、何かの理由で、その年に大会が中止になった場合も、そのオリンピアードの残り3年間でオリンピック大会は開かず、その回数はそのまま数えられています。これまで大会が行われなかったのは、第6回オリンピアード（1916年、ベルリン）、第12回オリンピアード（1940年、東京が返上しヘルシンキとなるも中止）、第13回オリンピアード（1944年、ロンドン）の3回で、日中戦争や第一

次、第二次の2度の世界大戦のためでした（補遺4、141頁参照）。

　なお、オリンピック冬季競技大会は、オリンピアード大会と同じ歴年に開催されますが「オリンピアード」という用語は使われません。第１回は1924年にフランスのシャモニー＝モンブランで開催されました（この年は、パリで第８回オリンピックが開催されている）。なお、冬季大会は1994年以降、常に夏季オリンピックの中間年に行われます。

　またパラリンピックという語は、もう1つのオリンピックという障害のあるトップアスリートのための競技大会の意味を表すparallelとolympicを合わせた造語で、1960年イタリアのローマで開かれた国際ストーク・マンデビル大会を第1回大会としました。1964年の第18回大会の東京オリンピック後に開かれた大会は、第2回大会でした。2000年の第27回のシドニーオリンピックから国際オリンピック委員会（IOC）と国際パラリンピック委員会（IPC）との間で正式な協定が結ばれ、オリンピックの開催都市は引き続きパラリンピックを開催することとなりました。冬季大会は、1976年から開催されています。

　桜井・橋場の『古代オリンピック』によれば、オリンピアの紀元には人為的なにおいがするとしています。後代のギリシャ人は「ペルシャ戦争の栄光を追慕しており、彼らの立ち返るべき原点であり、節目と考えているという。」ペルシャ戦争後の最初の大会が紀元前476年であり、それをさかのぼると紀元に行きつきます。一世代30年、十世代300年になります。紀元前476年に300年を足すと紀元前776年になります。ここから大会開始の年が算出されたようです。

古代オリンピック大会の始まり

　4年に一度、世界中の人々を感動と興奮に包み込む古代オリンピック大会は、今から2,800年近くも昔に全知全能の最高神ゼウスに捧げる大祭として、オリンピアの地で始まりました。オリンピア遺跡の敷地に残る数々の建物の遺構が、当時の様子・繁栄を今に伝えてくれています。

　第1回大会が紀元前776年に始まり、ローマ皇帝による禁止令が出る西暦393年まで293回続いたといわれています。そして近代オリンピックとして1896年にギリシャのアテネで開催され、現在まで続いています。

　ここでは、古代オリンピック競技大会がどのようにして始まり、どのような種目が行われていたかを紹介します。

2-1　古代オリンピック大会の歴史

　神話のなかでは、河の神のアルフェイオスに由来するアルフェイオス川※37がクラディオス川と合流し豊富な水域となった地点にあるオリンピアの地に神々を祀るアルティスを中央にした神域があります。

※37 ギリシア神話でアルペイオス（アルフェィオス川）とペーネイオス（ピニオス川）は、アウゲイアースの家畜小屋の掃除をしようとしたヘラクレスによって流路を変更させられた。これは「ヘラクレスの12の難業」のうちのひとつとして知られている（118頁参照）。

1896年第1回近代オリンピック大会がギリシャのアテネで開催された

　すでに述べましたが、ゼウス神と他の神々が、崇拝されたこの地で古代オリンピック大会が生まれました。ここでは、すべての人類に共通の尊厳に満ちた世界観と体育・運動競技に関する純粋な理念、これらが古代オリンピック精神として謳いあげられていました。それは身体と精神の調和という高い理想をもちその目標をもって、男性は優勝するという栄光だけのために、公正な競技規則に則って競技を行うことを宣誓し、これに従って競技をすることになってしていました。また、その理念はアスリートたちによってこの古代オリンピック大会を通じて千年以上もの間、何世代にもわたって引きつがれていきました。古代ギリシャ人による人類の平和と藝術と肉体美の追求という、人間性の本質にかかわる新たな次元の創造はここから始まったのです。

　古代における全ギリシャ世界で最も重要な体育競技会（パンヘレニック大会）だったのが、オリンピアでの競技大会だともいわれています。ピンダロス（英：ピンダール）：Pindar※38は、最初の古代オリンピック大会について

※38 紀元前518年—438年。詩の性質と詩人の役割について熟考した最初のギリシャの古代詩人といわれる。

その詩の中で太陽にも勝る輝きを放つものと最大の賛辞を贈っています。

　ミケーネ文明の時代（紀元前16世紀頃─紀元前13世紀頃）になると、オリンピアで開催された大会は、早くも地元における特徴ある競技会となっていました。一方でパウサニアスの記述によれば紀元前776年には、神託のあった後、競技大会はイフィトス：Iphitos※39によって再編成され、古代オリンピック大会として特筆すべきものが全ギリシャ世界に広まっていったことがわかっています。そして、まもなく古代ギリシャにおける陸上競技と文化の理想を表現した、最も重要な大会となっていきました。ギリシャ人の教育の本質的な部分となる運動競技、そしてすべての人間の活動において明らかになったギリシャ人の競争の精神は、オリンピックの理想として掲げられた「*kalos k'agathos*＝カロス・カガトス（高潔で、高貴な）」という市民の間における共通の理念を築き上げていきました。何世紀にもわたり、ギリシャ世界の各地から集まった最高のアスリートたちがオリンピアでの競技大会に集まりました。気高い精神を持つライバルたちとお互いに対抗するのではなく競争するという規範に従い、そして最高の神のゼウスを称えることが大切でした。

　アルカイック期から古典時代になると、大会は最高潮に達しました。

　ヘレニズム時代になると、純粋な宗教的な性格は失われ、職業意識に充ちたスポーツ競技大会となっていきました。この制度の本来の理想主義が喪失するきっかけとなったのは、紀元前388年の第98回大会でオリンピックの理念に反する行為が発現したことによる罰則が導入された頃からでした。ローマ時代になりローマ帝国の支配下に入ると大会の衰退が始まりましたが、大会は何世紀にもわたって新しい形で続き、ローマ帝国の皇帝テオドシウスⅠ世の命によって西暦393年に終わりをつげましたが、その時までに293回開催されました。

※39 古代ギリシャのエリスの王で、古代オリンピック（オリュンピア祭）を再興したとされる。パウサニアスによれば、戦争と疫病によって国土が荒廃したため、イフィトスがデルポイの神託を受け、絶えていたオリュンピア祭を復活させるよう命じられた。

そして、再びこの競技組織が注目を浴びることになったのは、フランス人のP.クーベルタン：Pierre de Frédy baron de Coubertinらの努力から、およそ1500年後にオリンピックを復活させようという動きが起こったことによります。また、ギリシャ人のディミトリオス・ヴィケラス：Demetrios Vikelas※40がこの運動の熱心な支持者となって、近代オリンピック大会の第1回が1896年にアテネで開催されることにつながっていきます。

古代オリンピック大会の起源

　古代オリンピック大会の開催地オリンピアは、発掘調査によれば、紀元前10世紀末から紀元前9世紀初め頃には、全知全能のゼウス神を祀る場所で、まだひっそりとした静かな聖地であったといわれていました。

　紀元前8世紀になると、地中海沿岸の各地にギリシャ人の植民都市建設が活発化していきました。それに伴いオリンピアも、シチリア島などの西方の植民都市とギリシャ本土を結ぶ場所に位置していたため、より重要視されるようになっていきました。

　第1回古代オリンピック大会の開催は、紀元前776年といわれています。これは、古代に記録された古代オリンピックの優勝者名とオリンピアード紀元法を逆算して推定された年で、この年から突然オリンピックが開始されたわけではなく、すでにオリンピアが聖域として機能し始めた頃には、神を祀る儀式に伴う競技が行われていたと考えられています（2−2項参照）。オリンピアの祭典としての古代オリンピック大会は、ギリシャの国という狭い枠を超えて全ギリシャ世界※41を対象として選手が参加する、全ギリシャを挙げての神々を祀るスポーツ（体育・運動）の祭典という意義を持っていま

※40 1835年—1908年。ギリシャ出身の経営者で、1894年から1896年まで国際オリンピック委員会の初代会長を務めた。彼は、最初の式典はアテネで開催するべきだと各方面を説得した。
※41 古代における全ギリシャとは、現在のギリシャ、北はマケドニア、西はイタリアのシチリア島、東はトルコ西部（小アジア）を含む。

した。このような高邁な精神は、近代オリンピック大会のようなナショナリズムとは無縁のものでした。

しかし、競技といっても、初期の古代オリンピック競技大会は徒競走だけでした。その後、戦車競走や、レスリング、円盤投げなどのさまざまなスポーツ競技が徐々に時代とともに加えられていきました。

古代オリンピック大会が拡大化を始めたのは、ペルシャ戦争が終わってからでした。アケメネス朝ペルシャ帝国※42は、紀元前546年にリディア王国※43のクロイソス王※44（在位：紀元前560年―紀元前546年）を倒して以来、イオニア地域のギリシャ諸都市を服従させていったことに対してアテナイが介入し、幾度の戦争を乗り越え、紀元前449年になってアテナイはペルシャと平和条約を結んで、ペルシャ戦争※45は終結しました。紀元前476年のオリンピック大会（第76回）は、ギリシャの祝勝大会として開催され平和が祈願されました。この時期、オリンピック大会の開催を管轄していたエリス人は、紀元前471年都市国家エリスを建都し、アテナイのような民主政国家を築き始めたのです。

各地における大祭（競技会）

古代オリンピック大会は、現在でいう陸上競技（athletics）が中心でした。当時の競技会では、「**走る・跳ぶ・投げる**」の3つの基本技を中心とした競技種目で争われました。

競技種目は、紀元前776年の第1回古代オリンピック競技大会ではスタディアムの長さ分を走る種目となるスタディアム走（現代でいう短距離走）の

※42 紀元前550年―紀元前330年、遊牧イラン人が建設し、オリエント一帯を支配した。全盛期のダレイオス1世は紀元前500年にギリシャ遠征を開始した（ペルシア戦争）が、征服には失敗。アレクサンドロス大王によって紀元前330年に滅ぼされた。
※43 紀元前7世紀―紀元前546年、4国分立時代の小アジア（現在のトルコ）西部にあった王国。
※44 「平和より戦争をえらぶほど無分別な人間がどこにいるだろうか。平和の時には子が父の葬いをする。しかし戦いとなれば、父が子を葬らねばならない。……」という名言を残したといわれる。
※45 紀元前499年から紀元前449年の三度にわたるアケメネス朝ペルシャのギリシャ遠征をさす。

みが行われ、その後種目が増えていきました。第1回の開催後の50年ほどたった大会では、スタディアム走に加え、ディアウロス走（中距離走）、ドリコス走（長距離走）、五種競技、円盤投、やり投、走り高跳びも行われるようになってきました。

　古代には、パンヘレニック祭の競技会としてオリンピア競技会（大祭）の他に次の三つの競技会も開かれていました。「パンヘレニック」とは、「全ギリシャを挙げての」という意味です。

　古代ギリシャにおける四大祭典競技会は、それぞれがゼウス、アポロン、ポセイドン神というギリシア神話を代表する神々に捧げられた祭典でした。これらのすべての大会ではスポーツ（体育・運動）競技が行われましたが、競技の観戦が目的であったわけではありませんでした。スポーツ競技は、神々に捧げる祭礼の１つでした。

ピューティア大祭（競技会）/ 月桂樹の冠　　ネメア大祭（競技会）/ 野生のセロリ

オリンピア大祭（オリンピック競技会）
/ オリーブの冠

イストミア大祭（競技会）/ 松の枝の冠

栄誉のしるし

ピューティア大祭（競技会）

　紀元前527年開始。デルポイ（ポーキス地方にあった都市国家（ポリス、ア
テナイ）から北西へ122km、現代の都市については「デルフィ」、「デルフォイ」
「デルファイ」と表記されることもある。）の聖地に全ギリシャから市民が訪
れて開催されたアポロン神の祭典でした。大祭は8年に一度開催され、トラ
ック競技と馬術の試合はのちにオリンピアでの競技大会の種目にもなり、
また音楽競技も奉納されていましたが、4年に一度の大祭に変更されまし
た。優勝者への賞品は、月桂樹でできた葉冠です。

ネメア大祭（競技会）

　紀元前516年開始。アルゴリス※46のネメアで2年おきに開催。ゼウス神を
祀る。ギリシア神話では、リュクルゴス王の子オフレテスはある時セロリを
敷いた上で寝かされていた時に、毒蛇にかまれて死んでしまいました。オフ
レテスの葬礼競技として開催された、といわれていました。競技種目は、ス
タディアム競走、レスリング、パンクラチオン、戦車競走など多数あったよう
です。優勝者への賞品は、野生のセロリの葉冠でした。王の死後、新たな王
が就いて王国が続いていき、この世のすべては「死と生のサイクルを示すも
の」と考えられるようになりました。

イストミア大祭（競技会）

　紀元前523年開始。コリントス（イスミアにある都市国家）のイストモスで
2年おきに開催（この一部が古代オリンピック大会へと発展）されていまし
た。この競技会は、ポセイドン神を祀る祭典でした。開催のきっかけは、オル
コメノス※47のアタマス王の子メリケルテスの死でした。メリケルテスの母レ
ウコテアは、メリケルテスを腕に抱いて海に身を投げ無理心中をしました。
神話では、メリケルテスの遺体はイルカの背に乗ってコリントスへと運ば

※46 ペロポネソス半島東部に位置し、古代ギリシャでギリシャ最古期の先進地域であったといわれてい
る。ドーリス人の侵入後はアルゴス（アルゴリス地方の中心都市）がほとんど全域を統一支配した。
※47 中央ギリシャ、ボエティアの豊かな考古学遺跡として最もよく知られており、新石器時代からヘレニ
ズム時代まで住んでいた。

れ、コリントスでは、メリケルテスの葬礼儀礼としてイストミア大祭を開始したという神話が残されています。競技種目は、馬術、ボート競技、さらに音楽や絵画競技がありました。優勝者への賞品は、野生のセロリの葉冠でしたが、のちに松の枝に変更されました。

オリンピアードの3年目にはピューティア大祭が開催されたため、1回のオリンピアードの期間中は、毎年どこかの四大競技会のうちの一つの大祭（競技会）が開催されていたことになります。

2−2　古代オリンピック大会と宗教・神話の世界

考古学上に重要な地としてのオリンピアに関する神話

神々がオリンピアの聖地で競い合う最初であった、ということが言い伝えられています。ゼウス神はレスリングの試合でクロノス神[48]に勝利し、アポロン神は徒競争でヘルメス神に勝ち、ボクシングではアレス神を破ったといわれています。またこの野生のオリーブでつくった王冠で勝利者を祝福しました。

ミケーネ地方では、オイノマオス王を破ったあとに、死んだピサ王に敬意を表し、また勝利したことに対する神への感謝とお祝いとして戦車競走が考えられたという伝説が残っています。

また、別の神話によると競技会の種目として徒競走と戦車競走を創始した最初の神として、半神半人のヘラクレスを挙げています。ヘラクレスは、北の大地から野生のオリーブの木を持ってきて、それをこの地に植えてそれをアルティスの境界域と定めたともいわれています。

パウサニアスによれば、競技の考案者として、クレタ島からオリンピアに

※48 ギリシア神話の大地および農耕の神。

やって来たヘラクレス：Idaian Heraklesといわれた人物とDakyls兄弟、Kouretes兄弟の4人の5人を挙げています。ヘラクレスは、最初に兄弟たちのために徒競走競技を開催し、スタディアムの大きさを決定しました。

オリンピアの地に東から西に向かって流れ、イオニア海にそそいでいるアルフェイオス川という大きな川があります。このアルフェイオス川についての神話を紹介しておきます。

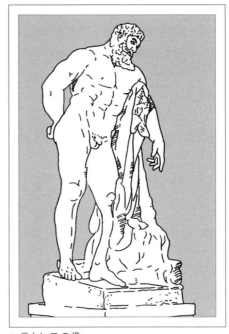

ヘラクレスの像

古代ギリシャの中心地から離れたギリシャ本土の南部のペロポネソス半島があり、その半島の西海岸（アテネから見ると西方向、約275km）にあるオリンピアは、すぐに偉大な宗教と体育競技の祭典が行われる中心都市となりました。河神アルフェイオス：Alpheios※49とペロプス王の神話に、このことが明らかに書かれています。ハンサムな青年といわれたアルフェイオス神は、近隣のアルカディアに住んでいたアルテミス：Artemis※50の後継者とされる精霊のアレトゥーサ：Arethousaに恋しました。しかし、彼女は、彼の愛の要求に応じませんでし

※49 ギリシア神話のなかでエリスのアルフェイオスは川の神とされていた。エリスの最大の河川のアルフェイオス川は、エリスでは特に尊崇されていた。
※50 ギリシア神話に登場する狩猟・貞潔の女神。
※51 イタリア南部のシチリア島東岸に紀元前733年、ギリシャ人の植民都市として建設されたと伝えられている都市。

た。彼女に救ってほしいと助けを求められた女神アルテミスは、彼女をシチリア島のシラクサ：Syracuse※51で泉に変身させました。アルフェイオスは、彼の片思いだったという絶望の中にあって、ゼウスに自分を安心させるようにお願いしました。ペロポネソス半島にあるこのアルフェイオス川は、イオニア海の下を通ってその水はシチリア島で合流し、そこの泉で精霊のアレトゥーサとアルフェイオス川の神は結ばれることになりました。

神々がはじめた競技会

次にオリンピアの地に関する神話を、紹介しましょう。古代ギリシャの中心地アテナイから離れたギリシャ本土の南部のペロポネソス半島の西海岸にあるオリンピアは、すぐに偉大な宗教と競技会開催の中心都市となりました。先に述べたように古代オリンピックの起源として諸説ありますが、ここではそのうちの一つの言い伝えを示しておきます。

伝説にあるアレス神：Aresの息子で聖地として保護されていたエリス地方のピサ：Pisa※52の王であったオイノマオスには、ヒッポダメイア：Hippodameia（「馬を飼いならす者」という意味）という娘がいたという話に由来するともいわれています。彼は、彼の娘の婿（むこ）となる者によって殺されるであろうという恐ろしい神託を受けました。この悲惨な結末を回避するために、オイノマオス王は娘であるヒッポダメイアの求婚者たちに自身との戦車競走を課して勝利し、負けた相手を殺害することを計画しました。この競争はオリンピアに始まりイスミア：Isthmia※53にある海神ポセイドンの聖地で終わるという非常にハードなレースでした。この競争で勝利した者は、「ヒッポダメイアと結婚することができ、ピサの王となれるだろう。」と宣言しました。また勝利者は敗者を殺すべきということも規定されました。

※52 現在のミラカで、イリア県（西ギリシャ地方を構成する行政区の一つ。古代にはエーリスといわれた）にあった。
※53 アテネとコリントを結ぶ主要道路にあり、多くの旅行者が簡単に立ち寄れるようになり、宗教的聖域になった。

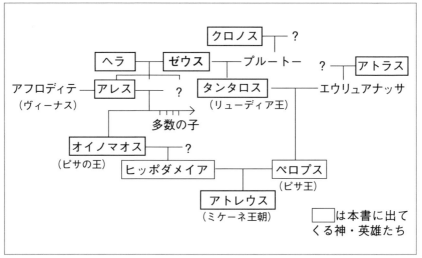

神と王の系図（一部）

愛馬家であったオイノマオス王の父アレス神が無敵の翼のついた馬を彼に与えたので、彼の勝利は間違いないものと、このレースでの勝利を確信しました。これに対抗してポセイドン神がペロプスに2頭の駿馬を与えそのおかげでペロプスはオイノマオス王に勝つことができました。遠く離れたリディア：Lydia※54からきた戦車競争に参加するペロプスがオリンピアに到着したときには、競争相手であった13人（12人とも15人ともいわれている）の候補者がすでに命を落としていました。ペロプス王はミケーネ第三王朝のアトレウス：Atreusの父であり、疫病で苦しんだペロピッド王朝：Pelopidsの創始者でした。アトレウスはタンタロス：Tanntalosの孫であり、ポセイドン神：Poseidonは彼の後見人でした。この結果、ペロプスはヒッポダメイアと結婚できたといわれています。

　また伝説のなかの一説では、ヒッポダメイアはペロプスからの求婚を受

※54 紀元前に現在のトルコの西部（エフェソスやミレトスの都市があった）にあったアナトリア半島に存在した国家。

けペロプスに恋したので、御者のミュルティロスに戦車競走でペロプスの味方をするように命じました。ミュルティロスは一計を案じ、王の戦車の車輪の金属でできているピンをワックス・ピンに取り替えました。戦車競走が始まるとこのピンは溶けて戦車は崩壊し、オイノマオス王の手綱に絡み合って引きずられ、彼は死んでしまいました。（また、ペロプスに殺されたという説もあります。）　その時オイノマオス王はミュルティロスの裏切りに気づき、ミュルティロスがペロプスに殺されるように呪いをかけました。結局ペロプスは、贈収賄が発見されないようにミュルティロスを殺害してしまいました。そして、ペロポネソス海岸の沖の海に彼の遺体を投げ入れてしまいました。それ以来、その海はミルトアン海（ミルト海）："Myrtoanの海"といわれるようになりました。利用されたことを知ったミュルティロスは絶命する前にペロプスを呪い、こののちペロプスの一族は「呪われた家系」と呼ばれることになりました。彼の行いが浄化されるようにと、贖罪の意味を込めて競技会を創設したのですが、またこの競技会をもってオリンピック競技大会の創始者と考えている研究者もいます。

　ペロプスが新たな王となり、先王の葬礼競技として古代オリンピック大会がスタートしたというのが古代オリンピック起源に関する神話です。

　馬場にあった折り返しの標柱の一方のそばには「馬脅し」（タラクシッポス：オイノマオス王の碑）と呼ばれる場所があり、祭壇がおかれていました。その場所に来ると突然馬たちが暴れ出すことからその名がついたものといわれています（諸説あり）。

　これらの伝説から、共通しているのは血塗られた情景が描かれていますが、古代ギリシャ人たちはペロプス王を卑怯者とは思っていませんでした。それは英雄にとって、知略に長けていることも条件とみなしていたのです。

　またヒッポダメイアは、ゼウス神の妻にあたる女神のヘラ：Heraに敬意を表し家族の繁栄と結婚を記念して競技会を実施するため、別に女性の運動競技となるヘライア祭（86頁参照、若い女性が競い合う古代ギリシャの祭典）を創設したといわれています。オイノマオス王とペロプスとの戦車競走

の様子は、ゼウス神殿の東のペディメントに壮大な彫刻作品として描かれ、今は考古学博物館に保存されています。

古代オリンピックの特徴

　古代オリンピックでは競技を誰に見せたのでしょうか。もちろん生身の人間も観客でしたが、真の観客は神であると考えられていました。ではなぜ、体育競技を神に捧げていたのでしょうか。

　体育・運動競技は、いわば人間の肉体の最大限の美を示すものと考えられてました。肉体の絶頂期にある最も身体能力に優れた、選ばれし若者たちが全力で競う姿は、神から与えられた肉体の限界の姿と考えられていました。「生」の限界を容易く視覚化できるのが体育・運動競技なのでした。極限まで高めた身体能力を神々に見せる、つまり捧げるというのは、ある種の生贄行為と考えられていました。古代オリンピック大会を始め、古代各地で体育競技会が行われたのは、それが「生」の象徴として考えられていたからです。それゆえ、競技大会では見る者に興奮を与え、古代オリンピックは時代とともに、さまざまな競技種目が加えられていったのです。

　また、競技大会の日程は、古代オリンピックは夏至のあとの2回目または3回目の満月に開催されました。オリンピックの中日は「ヘカトンベ（百牛祭）」と呼ばれ、満月と生贄を捧げる日は同じ日にあたるように、5日間の開催期間の中日である3日目に行われるように日程が組まれていました。古代オリンピック大会での最重要の儀式は、100頭の牛を生贄することでした。ヘカトンベでは、100頭の牛がゼウスの祭壇まで連れていかれ順々に神官によって屠られました。古代オリンピックのメインイベントは大量の牛による「死」のセレモニーでした。しかし、100頭もの牛をただ殺すわけではなく、オリンピック大会に集った観客たちが、満月の明りの下の饗宴でその肉を食しました。食べることは「生」であり、神や生につながる動物たちへの感謝の意が込められていました。死と生が儀礼化されたのが、古代オリンピック大会なのでした。

古代オリンピックでは、大会開催中の休戦協定（エケケイリア：Ekecheiria）があったことは注目しておくべきことの一つです。

　イフィトスの提案は、大会開催中はスパルタの王リクルゴス：Lykourgosとピサの王クレオステネス：Kleosthenesとの間に神聖な休戦にはいるということで、2人の王はこれに同意しました。この制度は、紀元前776年に設定されました。この協定により、大会開催中は戦争をしないということが実行されるようになりました。しかし、この休戦はギリシャ内のポリス（都市国家）間での取り決めで、ペルシャ国などの外敵には通用しませんでした。

　大会では、オリーブの花の冠で戴冠し、都市どうしの神聖な休戦のメッセージを持参してきた休戦使節団によって開会宣言がされました。それが効力を発揮する期間は、最初は1ヵ月、その後3ヵ月になりました。軍事行動は禁じられ、またエリスに入国することもできず、これに反する者は死刑に処せられるという罰が与えられることになり、また武装することや軍団へ入ることも禁じられるためすべての敵意は一時消え去りました。休戦を中断することは、大会からは除外されるという罰則もありました。大会のあった約1,100年以上の期間中で休戦が破られたことはまれで、古代ギリシャにおいてはほぼ完全に遂行され、人類の歴史の中で他のどんな平和協定よりも長く続いたものといえるでしょう。

大会の組織とアスリートたち

　記録からは、公式には、最初の古代オリンピック大会は、紀元前776年にイフィトスによって再編成されて行われたのが始まりとされています。オリンピック大会での勝利者のリストもその年にさかのぼりますが、それはずっと後にまとめられたものです。

大会組織・役員の構成

　ピサの国が、第29オリンピアードの紀元前668年から第52オリンピアードの紀元前572年まで大会の主催者でした。紀元前 570 年からは、大会組織はピサの国を掌握していたエリス人が開催権を握ることになり、古代オリ

ンピック競技大会は4年毎、春分点の後の最初の満月、太陽年のカレンダーの8番目の月に開催されました（現代の7月—8月）。大会間の期間はオリンピアード（オリンピア紀：42頁コラム参照）とされていましたが、これは大会自体の名前としても使用されている用語でした。大会は、紀元前684年（第24回オリンピック大会）までは複数の競技種目（2—6種目ともいわれている）があり、大会はすべて1日だけの開催でした。競技種目数が増加するにつれて（古典時代には、その数は18に達していました）、開催期間も5日間に拡大されました。そしてオリンピアードの開催は、古代ギリシャ人の年代システムを形づくる基礎となりました。

　すべての自由ギリシャ国民は殺人または虐待を犯した場合を除き、選手として大会に参加する権利を有していました。異邦人や奴隷は、参加から除外されていました。後にローマ人たちは、参加するために彼らの出自がギリシャ人であることを証明しようとする者までいました。女性は馬の所有者や戦車競走のオーナーに限定されており、そうでなければ参加することはできませんでした。

　大会では、未開人や奴隷は観客として参加することは許されていましたが、既婚女性は除外されていました（理由は不詳）。スタディアムの北側の土手には、女神デメテル・シャムネスの巫女たちだけが女神の祭壇のところに座ることが許されていました。

　規則（「Zeusの規範」=" canos of Zeus"：ゼウスによって確立された規範、と呼ばれる）が守られていることを確認する責任のある大会役員は、ヘラノディカイ：Hellanodikaiと呼ばれていました。紀元前584年まではこの制度は代々引き継がれていき、その地位は終身保障されていました。後になって、エリスの市民はヘラノディカイを抽選で選びました。彼らの1回の任期は1オリンピアードで、10か月間彼らはエリスのヘラノディカイの館に滞在し、そこで彼らは大会の規則を教えられました。大会期間中、彼らは赤いマントを着て、スタディアムの南側にあるエクセドラ（背もたれの高い石造りのベンチ）に着席していました。ヘラノディカイは金銭的そして肉体的な刑罰を科す権限を持っており、またアスリートの参加を禁じることもできました。課

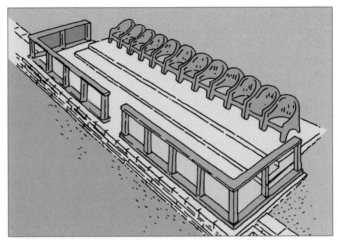

古代オリンピック大会のヘラノディカイ用エクセドラ席

された罰金から、ゼウス神の彫像が作られることになっていました。これら一連の像は「ザネス：Zanes」として知られていて、スタディアムの入り口の前に立てられていました。

　大会競技は、体操競技と乗馬関連の2種類がありました。体操競技はスタディアムで行われ、馬術競技はヒッポドローム（馬場）で行われました。

　ゼウス神殿の大理石の屋根瓦の碑文には、第189オリンピアード期間中（紀元前28年—紀元前24年）における大会役員の名前が記録されています。大きな石の上には、断片的ですが碑文の形式で大会のルールが記録されています（西暦1世紀—2世紀）。考古学博物館には、審判員のヘラノディカイの人たちの名前、アスリートたちのリスト、そして大会のルールを記録したアルティスから発掘された青銅板の碑文が展示されています。

アスリートたちの準備

　参加都市から選ばれたアスリートたちは競技のトレーナーと体操のインストラクターの指導のもとで訓練を受けるために、大会が始まる1か月前に、競技大会の開催を担当する都市のエリスに集まって来ます。そこで、彼

らは街の体育館とパライストラでみんな一緒に準備をします。エリスではヘラノディカイは、ギリシャの陸上競技の花型のアスリートだけがオリンピアのスタディアムで戦うべきだとされていたので、準備が整っていなかったアスリートたちをここで除外していったのです。練習試合のようなものもありました。

　オリンピアに到着すると、ギュムナシオンやパライストラで練習が行われました。トレーニングの前にオイルを体に塗る役目の人がいて、アスリートたちの体に筋肉をほぐすためのオイルマッサージをしました。そのあと、彼らは練習中に手が滑らないように体に粉塵を塗りました。この準備は、パライストラのエライオテション（塗油室）とコニステリオン（粉末化粧室）と呼ばれた部屋で行われていました。トレーニングの後には、アスリートたちは体からオイル、ほこり、そして汗を肌かき器で取り除き、それから浴場で湯舟に入り、身を清潔にしました。

2-3　古代オリンピック大会の祭典

古代オリンピック大会のプログラム

　古代オリンピック大会のプログラムは、1,000年以上続いた歴史的な経緯の中で大きく変更されることはありませんでした。ヴィカトウの『OLYMPIA』（2006）によれば、古典（クラッシック）時代には大会の競技日とその日の開催種目は次のようになっていたとしています。

　大会が始まる2日前、アスリート、審判員、そして役員は、エリスからオリンピアへと通じる聖なる道：Sacred Wayをたどっていく行列に参加しました。

　初日の朝、アスリート、その親戚、そして役員たちは、ゼウス像の前で、規則を守るという聖なる宣誓式に出席しました。　その後、彼らは対戦相手がペアになるように組み合わせが決められ、アスリートたちの名前が大会での種目とともに発表・記録されました。夕方には生贄が捧げられ、神託が下

されます。哲学者、歴史家および詩人は集まった群衆に向かって自分たちの作品について語らいかけるなどの行事が行われました。

2日目はスタディアムで男子の徒競走が行われ、続いてレスリング、ボクシング、そしてパンクチオン（ボクシングとレスリングの組み合わさった格闘技）が行われました。

3日目には馬車競走と馬術競技が馬場で行われました。スタディアムでは、ペンタスロン：五種競技（幅跳び、円盤投げ、徒競走・ランニング、槍投げ、レスリング）が行われました。夕方からは戦車競走の創始者とされていたペロプス王を記念して黒い子羊が生贄として捧げられ、その後に祭りの饗宴が行われました。

夏の夜の美しく輝く満月と重なった4日目には、荘厳な行列で始まります。アスリート、ヘラノディカイ、テオロイ（神聖な大使）がギュムナシオンかプリュタネイオンに集まり、偉大なゼウスの祭壇に詣でて、100頭の牡牛を生贄としました。それから、男子の短距離競争、レスリング、ボクシングそして格闘技の競技をしました。その日は、重装備した歩兵の競走（ホップライト・レース、ホプリトドロモス）で終了しました。

最終日の大会5日目は、アスリートの優勝者たちの表彰式に充てられました。優勝者はゼウス神の神殿に行き、そこで彼らはヘラノディカイの最上位者によって野生のオリーブの冠（コチノス）が授けられました。公式の饗宴はプリュタネイオンで開催され、祝典とお祝いの宴会は夜まで続きました。

F.メゾー著の『古代オリンピックの歴史』によれば、第75オリンピアードから第78オリンピアード（紀元前480年—468年）、第81オリンピアードから第88オリンピアード（紀元前456年—448年）の当時のプログラムは次のような順序だったとしています。

1．スタディアム競走　　2．ディアウロス
3．ドリホス　　　　　　4．五種競技
5．レスリング　　　　　6．ボクシング
7．パンクラチオン　　　8．少年スタディアム競走

9．少年レスリング　　10．少年ボクシング

11．武装競争　　　　12．馬車競走

13．競馬

そして、彼は大会の競技日を次のようであったと考えていました。

第1日目：スタディアム競走、ディアウロス競走、ドリホス競走

第2日目：五種競技

第3日目：レスリング、ボクシング、パンクラチオン

第4日目：少年競技

第5日目：武装競争、競馬

オリンピック大会の種目

　ここで述べる古代オリンピック大会の様子は、古代ギリシャ世界で有名だった詩人ピンダールやホメロス（ホーマー）、旅行者のパウサニアス等の記述や、遺構から発掘調査して出土した像や陶器類の日常品などの博物館に展示されているものから推測できる競技種目などを解説したものです。なお、競技関係の発掘出土品などはオリンピア遺跡に行く道の右手の小高い場所にある古代オリンピック競技博物館：THE MUSEUM OF THE HISTORY OF THE OLYMPIC GAMES OF ANTIQUITYなどに保管され、その一部は公開されています。

先史時代の陸上競技

　古代ギリシャ世界における最初の陸上競技は、紀元前1700年から紀元前1400年頃と推定されます。クレタ島では、宗教的な儀式に関連して多くの運動競技が行われていました。人気のあった種目は、棒高跳び、レスリング、ボクシング、そして牛跳び越え競技だったようです。ミケーネ時代の初期の頃（紀元前1500年頃）は、これらの競技を受け継ぎ、戦車競走やランニングなどの新しい競技種目も導入されました。彼らは競争することによる気高い精神の持ち主になることが大切と考え、特に陸上競技はミケーネ人にとって日常生活の中での基本的な部分となりました。

古代の競技会は、最初に記録にとどめられたよりはるか数百年前にさか
のぼって、おそらくトロヤ（トロイやトロイヤと呼ばれる）戦争時代（紀元前
1200年頃）には、すでに行われていたともいわれています。一説としてスト
ラボン：Strabon※55によればトロヤ時代には祭典競技や当時の大会競技は
ありませんでしたが、ホメロスは祭典競技のようなものがあったことを述べ
ています。

　また、ミケーネ時代末期（紀元前1300年頃―紀元前1200年頃）から幾何
学様式時代後期（紀元前900年―紀元前700年）までのホメロスの『イリア
ス』や『オデュッセイア』の叙事詩が謳われた時代に、体育競技に対する伝
統は引き継がれ発展していきますが積極的な証拠となる資料はあまりあり
ません。この時代に公共の場や生活の場で運動や体育が浸透し、青年や兵
士を中心に肉体を鍛えお互いに競い合うことに関心を持つようになり、市
民も勝負の行方に関心をもつようになりました。例えば、円盤や槍を投げ
て、その飛距離を競ったりしました。貴族による戦車競争もこのミケーネ時
代に誕生したと考えられています。

初期の古代オリンピック大会

　古代ギリシャにおいて信じられている直接の起源といわれているのは、
当時流行していた伝染病が蔓延して困っていたエリス王のイフィトスがア
ポロン神殿でお伺いを立てたところ、争いをやめ、競技会を復活せよという
啓示を得ました。イフィトスはその啓示に沿って競技会を復活させ、また争
いの相手であったスパルタの王リュクールゴスとの間にオリンピアの地に
武力を持ち込むことは禁止するというエケケイリア（休戦協定）を結ぶこと
になりました、碑文が彫られた円盤がヘラ神殿に捧げられましたが、残念な
がらこの円盤は現存していません。また、リュクールゴス王も実在していな

※55 紀元前63年―西暦23年。古代ローマ時代のギリシャの地理学者・歴史家・哲学者。全17巻の現
存する『地理書』で知られる。この書は、当時の古代ローマの人々の地理観・歴史観を知る上でまた、
地中海世界とその周辺の厖大な情報の宝庫で重要な書物となっている。

かったのではないかともいわれています。

　また先に述べたように神話によると、大会の種目の考案者は、徒競争と戦車競走は半神半人の英雄ヘラクレスが提案したとしている場合のように、神々の間でも競技種目が創案されたともあります。

　古代ギリシャ世界の歴史を表すものがパウサニアスの記述から紀元前776年に神託のあった後、競技会はイフィトスによって再構成され、その特徴は全ギリシャ世界に広まっていったことがわかっています。そして、まもなく古代ギリシャの陸上競技と文化の理想を表現した、最も重要な大会となっていきました。ギリシャ人の教育の本質的な部分となる運動競技、そしてすべての人間の活動において明らかになったギリシャ人の競争の精神とは、古代オリンピック大会での理想とされていた「"kalos k'agathos"＝カロス・カガトス（高潔で、高貴な）」の言葉に表されるように、身体的にも道徳的にも優れていること、すなわち「美にして善なること」をめざしていました。こうして、ギリシャ市民の理念を築き上げていきました。何世紀にもわたり、古代ギリシャ世界の各地から集まった最高のアスリートたちがオリンピアでの競技会に集まりました。この価値観に位置づけられて、気高い私信の持ち主のライバルたちとお互いに競争すべきという規範に従い、そしてさらに最高の神のゼウス神を称えることが大切なことでした。

　しかし、時代が経るにつれ、ローマ帝国の支配の影響が強くなり、徐々に大会は競技者の職業化、競技のショー化が進んでいくようになりました。それでも、この「カロス・カガトス」は競技精神の理想像として生き続けていきました。

　当初は、エリスとスパルタの2国のみの参加だったオリンピア大祭（＝古代オリンピック競技大会）は、4年に一度開催され、次第に参加国も増え続け、ついには全ギリシャ諸国が参加する大会となっていきました。

古代オリンピック大会の種目

古代オリンピック大会のモットーは、「走る、跳ぶ、投げる」です。取り入れられた競技種目も当初はこのモットーに基づくものでした。しかし、近代オリンピックでは、**「より速く（Citius）、より高く（Attius）、より強く（Fortius）」**がモットーとなり時間や距離（長さ）を競うことが理念とされました。

①徒競走（フットレース）

この競技は最も古く、かつ最も重要なオリンピック大会での種目でした。スタディアム・レース（短距離走）の勝利者はオリンピアードにその名前を残すことができました。

この種目の考案者は、二人の有名な英雄とされていたクレタ島のヘラクレスとコウレテス：Kouretesなどによるものでした。ランナーは素足で走り、最初はシャツ（ペリゾマ：perizomaと呼ばれていた）や腰部を巻いた下着を着用していました。第15オリンピアード

短距離走（上）、長距離走（中）、武装競争（下）の様子

（紀元前720年）に、レースの途中でメガラ※56出身のオルシポス：Orsippos
は、自分のペリゾマをずり落としてしまいましたが、そのまま全裸で走り続
けたという言い伝えがあります。このときはオルシポスが優勝しましたが、
それ以降アスリートたちは大会では裸で走ることと決められました。有名な
ランナーとしては、ロードス島のレオニダス：Leonldas、が4回のオリンピア
ード（第154—157回、紀元前 164年—紀元前152年）を通じて連続して優勝
を勝ち取っており、そのほかにもクサントスのヘルゴメネス：Hergomenes
（西暦81—89年）の3回連続優勝者がいます。

　以下のフットレース＝陸上競技が開催されていました。

スタディアム競走：stade

　現代の200m走に相当する、1ステイド（600フィート≒ 192.27m）のスプリ
ントまたはスピードを競うレースでした。最も短い競争距離で、当時として
は人間が達しうる最高速度が出せる距離として設定したものと思われます。

　スタディアム競走に参加した選手はスタディオドロモイ：stadiodromoiと
呼ばれ、優勝した選手にはstadionikesという名前が付けられました。オリン
ピアで最初の勝利者は、エリス人のコロボス：Koroibosでした。第13オリン
ピアード（紀元前728年）までは、競技場での競技としては唯一のものでし
た。

ディアウロス競走：diaulos

　スタディアムの往復レース。往復でスタディアム競走の2倍の1,200フィート
（384.54m）を走り、現代の400mレースに対応していました。ディアウロス
は、第14オリンピアード（紀元前724年）で導入されました。

ドリホス競走：dolichos

　長距離レースで7—24ステイドの距離を争う耐久レースでした。ほとん
どの場合、距離はスタディアムの20倍つまり1,345.9—4,614.5mの間（主に
3,550m—3,800m）に設定されました。最初の勝利者は、第15オリンピアード
（紀元前720年）においてスパルタ出身のアカンソス：Akanthosでした。ス

※56 古代ギリシャのアッティカ西部・メガリスにあった都市国家。

パルタが初の勝利をおさめました。

　古代オリンピア競技会では、これとならんだ競走種目として⑤の武装競争（80頁参照）がありました。

　考古学博物館には、徒競走の様子を表現した紀元前6世紀の黒像（絵）式の焼き物の陶器（レキュトス、クラテールおよびアンフォラ）があり、走者が描かれています。アルティスから出土発掘された青銅製の碑文からは、ドリホス競走でのクノッソス出身のエルゴテレス：Ergoteles の勝利（第77オリンピアード（紀元前472年）と第79オリンピアード（紀元前464年）の2回優勝）を記録している額の断片など、大会の勝利について表現しているものがあります。他の展示品としては以下のとおりです。古代メッセネ出身のアスリートの像（レプリカ）、コリント出身のアスリートの肖像、古代オリンピアのアルカイック期のスタディアムから出土したスタートラインの石の断片、名誉席であった2つの王座などの発掘作業で発見されたものも展示されています。

②格闘技

レスリング

　競技の創始者として確認されているのは、ヘルメス神、ケルキューオン：Kerkyonと闘ったテーセウス：Theseus[57]、巨人であったアンタイオス：Antaios やアヘロースに勝ったヘラデス：Herdes、そしてさまざまな怪物・怪獣と闘って勝利した海神トリトンたちがいます。

　ギリシャ人はレスリングのことを"パレ"と呼び、練習する場所を"パライストラ"と呼んだといわれています。

　レスリングの種目は、第18オリンピアード（紀元前708年）の大会ではじめて追加されました。少年のレスリング競技は、第37オリンピアード（紀元前632年）から行われました。試合の対戦相手（5人から8人）は、抽選で選ばれ

※57 ギリシア神話に登場する伝説的なアテナイの王、そして国民的英雄。

ました。レスリングには、本来の立って闘うレスリングとグラウンドレスリングの2つのスタイルがありました。立ち技レスリングは、単に相手を3回地面に投げること（フォールという。相手の両肩を同時にマットにつけること。現在ではアマチュアでは1秒間、プロでは3秒間）で地面に背中か肩か腰がつけばフォールとなり3回投げつけるまで続けられました。2つ目は、どちらかが敗北を意味する"アパゴリン：apagoreuein"と宣言し敗北を認めるまで続けるという過酷な競技でした。

　レスラーたちは、自分の体に油を塗り裸になって砂場で戦いました。名声を得たレスラーの一人としてクロトン出身のミロン：Milonがあげられます。彼は、オリンピアの大会（第60（紀元前540年）から第66オリンピアード（紀元前516年））で6回、ピューティア大祭で7回、ネメア大祭で9回、イストミア大祭で10回それぞれ優勝し、期間にすると約30年間王座にいたといわれています。もう一人はオリンピアでの大会で6回（第37（紀元前632年）から第43オリンピアード（紀元前608年）のうちの第38オリンピアードを除く）優勝したスパルタ出身のヒッポステネス：Hipposutenesがいました。

　古代競技博物館に展示されている装飾された青銅製の盾（紀元前6世紀のもの）の1つは、レスラーの代表が持っていたものでした。また興味深いのは、ローマ時代にエジプトからやってきた選手の青銅製の台座のグループです。足裏がついた台座には、レスラーでパンクラドースト（現在の空手か？）のエリス出身のカプロス：Kaprosの銅像（紀元前212年優勝）が残っています。碑文からわかることは、ビボン：Bibonが片手で持ち上げたといわれる143.5kgの石があったということです。

ボクシング

　神話によると、アポロン神がボクシングの創始者とされています。しかし、ボクシングの技で有名だった英雄ヘラクレスと女神アテナの指導を受けた伝説の英雄テーセウス、そして他の英雄も同様にボクシングに関係したと考えられています。そのうち、競技として取り上げられるように最も力を尽く

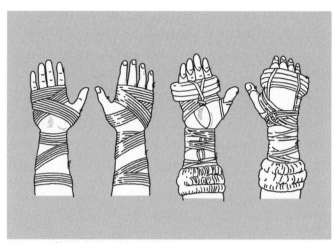

ボクシング競技の際の革紐の巻きかた

したのは、アポロン神であると考えられています。

　大会には第23オリンピアード（紀元前688年）に導入され、第41オリンピアード（紀元前616年）には少年ボクシングが追加されました。選手の1人が無意識のうちに倒れるか、敗北を認めるまで闘い続けました。ボクサーの対戦相手を決める方法は、たくさんありました。試合のためにミケーネ人が使っていたように、選手たちは自分たちの手の周りに革紐を巻きつけてこぶしを守りました。ホメロス（ホーマー）は、牛皮の革紐がボクサーの

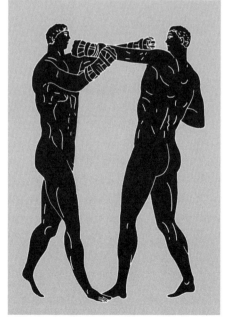

ボクシングの様子

手の周りに巻かれていたと記述しています。後に、内側には羊の毛がついていました。硬い革紐を指の下部の周りにも巻き付けていました（これはスファイライ：sphairaiと呼ばれる）。紀元前4世紀から紀元前2世紀の終わりまで、革紐の代わりに、ボクサーは一種の手袋を着用していました。さらに後にローマ時代になると、鉛と鉄で補強されたカエストス：caestusと呼ばれる重い手袋が流行しました。古代の最も有名なボクサーの中には、対戦相手と正面から戦っていたストレートパンチャーとして知られているカリパテイラ：Kallipateiraの父でロードス島出身のディアゴラス：Diagorasがいました。

　出土発見された花瓶には、ボクシングの闘うシーンが描かれています。特徴は、古代コリント時代の画家（紀元前560年頃）によるキリックスや、ボイオーティア県（現在のアテネの北西中央ギリシャの行政区）のタナグラ：Tanagraから出土したアッティカ時代の黒像（絵）式のアンフォラ※58があります（紀元前500年頃）。この展示ユニットでは、ボクサーの描写と古代オリンピック大会で勝利したボクサーの彫像のために刻まれた台座の盾用のバンド、アルティスから発見された南イタリアの都市ロクリ出身のユーティモス：Euthymos（紀元前472年）、そしてロードス島出身（紀元前3世紀初頭）のアスリート像の頭部などがまとめられています。

パンクラチオン（pankration）

　パンクラチオンとは、ギリシャ語でパンは「すべて」、クラチオンは「kratos＝力」を指し、古代ギリシャの祭典における武術を意味しています。ゲームの中で最も壮観なものの一つとして挙げられるのが、ボクシングとレスリングを組み合わせた第3の競技となるパンクラチオンでした。伝説では、テー

※58 陶器の一種で、2つの持ち手と、胴体からすぼまって長く伸びる首を有する。ブドウ、オリーブ油、ワイン、植物油、オリーブ、穀物、魚、その他の必需品を運搬・保存するための主要な手段として用いられた。

セウスがミノタウルス：Minotaur（ギリシャ神話に登場する牛頭人身の怪物）を退治するためにレスリングとボクシングを組み合わせたのが始まりといわれ、オリンピックでは、第33オリンピアード（紀元前648年）で導入されました。

　パンクラチオンには、直立パンクレーション（アスリートが直立して闘う）と地上パンクレーション（対戦相手を地面に倒れ続けさせる）の2種類がありました。訓練ではアスリートたちは通常直立型を練習しましたが、実際の競技会では地面上で闘ったと思われます。パンクラチオンに出るアスリートは、レスラーとボクサーの両方のスキルを同時に組み合わせる必要があり、競技会は厳格な規定によって運営されていました。パンクラチオンの有名選手としては、シラクサ出身のリグダミス：Lygdamis（第33オリンピアード（紀元前648年）のパンクラチオンで最初の優勝者）、シキオン：Sikyonianの ソストラトス：Sostratos（第104オリンピアード（紀元前364年））、ロード ス島のドリオイス：Dorieus（第87—89オリンピアード（紀元前432年—424年））、そしてスコトッサ：Skydoussian 出身のポリダマス：Polydamas（第93オリン（ピアード紀元前408年））を挙げることができます。

　アルティスから出土したパンクラチオンの選手たちがモデルとなった多くの彫像のうち、わずかな台座だけが残されています。ここでは私たちは、偉大なパンクラチオンの選手だったカリアス（紀元前472年）とポリダマス（紀元前4世紀の後半）のふたつの像を見ることができます。台座からは、偉大なアスリートの功績のいくつかも見ることができます。

　右の図では、フィガリア：Phigaleia（西ギリシャのエリスにあり現在はザハロ市の一部）から出土したクーロス：

格闘技で「アパゴリン」を宣言して
敗北宣言をしている

Kouros[※59]は、対戦相手が敗北の意思を表わす"アパゴリン！"と宣言したことで、勝利したパンクラチオンの選手で、第52と第53オリンピアード（それぞれ、紀元前572年と紀元前568年）で優勝したアルハヒオン：Arrhachion を描いたものです。現存している彫像からは、おそらくパンクラチオンで勝利した選手の頭部でしょう。切り裂かれた唇、傾げた頭、目の窪みなどからは、古代ギリシャの神々に多くの注意を払った古典時代の三大彫刻家スコパス：Skopas、リュシッポス：Lysippos、プラクシテレス：Praxitelesの流派の影響がはっきりと見てとれます。

③五種競技（ペンタスロン：pentathon）

五種競技は次の5つの競技種目からなっていました。幅跳び、徒競争（65頁①参照）、槍投げ、円盤投げとレスリング（67頁②参照）。最初の3つは軽度な運動競技で、あとの2つは高い身体能力が必要と見なされていました。伝説によると、ジェイソン：Jason がペンタスロンの創始者といわれています。彼は、エーゲ海の北部にあるギリシャの島：Lemnos のアルゴノーツ：Argonauts（海洋交易民族）が開催した試合においてレスリングで優勝したのですが、他のすべての競技会で2位になった彼の友人パリス：Paleasを称えてこのペンタスロンを考案したとされています。この試合は、第18オリンピアード（紀元前708年）で導入されました。

当初は幅跳び、槍投げ、円盤投げはペンタスロンの一部として開催され、徒競走とレスリングは別の賞が与えられる競技会として開催されました。

ギリシャの哲学者アリストテレスは、ペンタスロンの勝利者を「ギリシャ人の中で最高の人」と考えていました。ペンタスロンが、どのように優勝者を決めていたのか、など詳細はわかっていません。

※59 ギリシャ語で青年の意。ギリシャ彫刻のなかでアルカイック時代に制作された多くの直立した青年裸像を指し、墓地や聖域などから出土する。

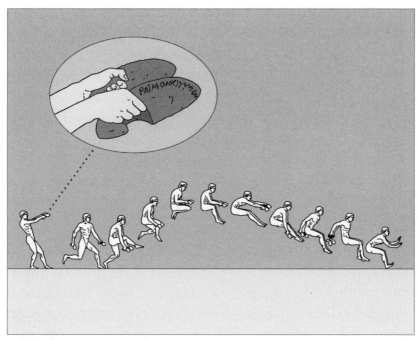

幅跳びの様子

幅跳び

　競技大会では幅跳びは立ち幅跳びと走（り）幅跳びの2種目がありました
が、三段跳びはなかったと考えられています。

　これはスタジアム内で、長さ50フィート（16m）の砂場の先に長方形のピ
ットまたは、スカマ：skammaと呼ばれる掘り返された着地地点まで跳ぶ競
技でした。もう一方には、踏み切るための踏切板となる石の目印または「敷
居」と呼ばれるものがありました。そして、ジャンプした後にアスリートの足
が砂の上に着地したところにマーカーが置かれ、「カノン（canon）」と呼ば
れる木の棒によって結果を測定しました。誰が砂場の端を越えていたかに
注目が集中しました。今日のギリシャ語でも使われている「スカマを跳びこ
える」という表現は、アスリートにとっては砂場の向こう側に跳ぶということ
を意味しています。「期待を上回る成果を上げた」ことを意味する比喩的な

言葉として、その由来にもなっています。

　幅跳びでより良い記録を得るために、アスリートたちは跳躍に弾みをとるために石や鉛のハルテーレス：halteresというものを使って跳ばなければなりませんでした。ハルテーレスは楕円形、両球形などさまざまな種類がありましたが、基本的には長いか球形です。その重さは、1,610g、1,480g、2,018g、さらに4,629ｇのものがありました。ジャンパーは、適切な種類の重さのものを選びましたが、その使用は必須ではありませんでした。アスリートたちは、トレーニング時に彼らの手、腕および指を強化するためにウェイト（ハルテロポリア：halterobolia、ダンベルのようなもの）を使用しました。

　記録をみるとサラミスの海戦※60で有名になったクロトン※61の英雄ファウロス：Phayllosの記録が伝説的で、ピューティア大祭の競技会で彼は55フィート（16.28m）の結果を出しており、また第29オリンピアード（紀元前664年）に古代スパルタ出身のキオニクス：Chionisは、52フィート（16.66 m）という記録があります（紀元前664年）※62。レスリングでも3回勝つことが必要でしたが、幅跳びも3回跳ぶことになっており、16.66mを1度の跳躍で跳べたとは思われません。キオニスの場合3回の合計の跳躍距離を平均すると、1回は平均で5.56mということになります※63。跳躍者がリズムをつけやすいように音楽を流せるようになっていたので、大会でのパフォーマンスとして「アウロス」という楽器を吹く人を付き添わせていました。

　古代競技博物館に展示されている陶器（紀元前4世紀と6世紀の鐘状のク

※60 紀元前480年9月末、アテネの沖合のサラミス島付近でアテネ海軍が三段櫂船を駆使してペルシャ海軍を破った、といわれる勝敗を決した重要な海戦。
※61 紀元前710年頃生まれたギリシャの植民都市で現在のイタリア半島の先端、カラブリア半島のイオニア海側に位置する。
※62 1605年フランスのスカリゼという人がひと跳びで足裏の27倍以上も遠くに飛べないとして（その理由は不詳）、52フィートということよりも跳躍限界からオリンピック・フィート（32.045㎝）で計算すると8.65ⅿ、ローマ・フィート（29.6㎝）で計算すると7.99ⅿとなり現在の記録に近いものになる。
※63 現在の走幅跳びの世界記録は、1991年に出た8.95ⅿ。

ラテールとキリックス）には、アスリート（跳躍者）が大会で跳ぶ様子で描かれています。跳ぶ際の錘のウェイトの中で注目に値するのは、奉納されている銘刻文字（紀元前6世紀の終わりに使用されていた）で書かれているスパルタ出身のアクマティス：Akmatisの錘です。

円盤投げ（ディスカス：diskos）

　ホメロスがディカスをソロス（solos）（現代のスリングストーン（石つぶて、投弾））と呼んでいるもので、ストラップで輪をつくりそこに錘を乗せて飛び出させるものでした。これは、競技種目の一種として第37オリンピアード（紀元前632年）で導入されました。当初、ディスカスとして石を用いていましたが、のちには青銅製、鉛または鉄製でできているものを用いるようになりました。その大きさは保存されているものでは、円盤の厚みは約14mm、直径17cmから35cmの範囲のもので、1,300gと6,600gの間の重さがあり、最大のものが奉納されています。碑文とは別に、ディスカスの表面にエッチングされて表現されているのは通常は競技者に関することですが、それ以外に休戦時の契約のような文言や詩歌が複製されています。

　競技のテクニックは、今日のゲームと大差ありませんでした。投擲する位置には、マーカ（semeia）と呼ばれる杭や釘が地面に打ち込まれていました。投擲距離はポールまたはストリングで測定されました。公平を期するために、同一のディスカスがすべての運動選手に用いられました。

　パウサニアスは、オリンピックのために3つの公式の円盤がオリンピアのシキオニアの宝物庫に保管されていたと述べています。幅跳びでも優勝したクロトン出身のファイロス：Phaullosは投擲距離が96フィート≒28.10mを投げて、大記録を出したと書かれています。また、ピサ出身のプレギアス：Phlegiasは、円盤をアルフェイオス川の最も川幅の広い部分を横切る距離（川幅：50m—60m）を投げられたといわれています。しかし、これほどの技能を持っていたとは考えにくく、この記録には疑問が持たれています。

槍投げ

　槍投げのもともとの起源は、狩猟と戦争です。槍投げには、どのくらいの距離を投げたかという距離を争う競技と既定のマークに向かって精確に投げるという2種目がありましたが、オリンピアでの五種競技での槍投げの競技は、どれだけの飛距離を投げることができるか、だけでした。

　槍投げの槍は、1.50m―2mの長い木の棒で、一方の端は鋭い穂先になっていました。ターゲットに向かって投げるためにメタルポイントを使用していました。ポールの重心に革の投げ紐（アメンタム：amentumまたはアンキュレ：ankyle）が取り付けられ、投げ手が右手の人差し指、または人差し指と中指をかけてグリップします。上体を起こし、胸を張って、槍を握った右手を後方に伸ばし、左手は槍先を抑えるようにして槍を構える。少しステップして、体の捻じりを利用して肩口から空に向かって投げ放っていました。投げ縄を投げつける手法は今日のものと変わらなかったようです。

　テーマ別ギャラリーでは、槍投げの様子を表しているようなアルカイック期の青銅製の槍先の4本と槍投げの投擲者の訓練の場面をあらわした赤像

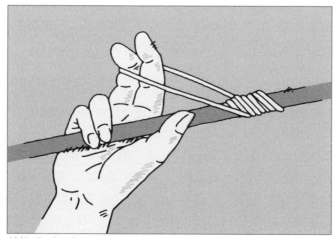

槍投げの投げ紐の巻きかた

（絵）式のレキュトスが展示されています（紀元前5世紀前半）。

④馬による競技
馬術競技
　馬場（ヒッポドローム）の6周の周回コースを走った馬術競技は、第33オリンピアード（紀元前648年）で壮大な競馬レースが初めて開催されました。第71オリンピアード（紀元前496 年）にカルペ（kallpe）と呼ばれた牝馬の子馬の速足での競争が、第131オリンピアード（紀元前256年）には、小馬のレース（コルトレース）というレースがそれぞれ導入されました。このレースでは、騎手は鞍式毛布、鞍サドル、鐙（あぶみ）のない裸馬に乗ることになっていました。

　古代競技博物館に展示されているのは赤像（絵）焼の形をしたカリックス・クレイター（calyx-krater）には、女神ニケが御者となって走らせている4頭立て馬車の感動的なシーンの展示があります（紀元前370年―紀元前360年）。競馬の様子を表したアッティカ式の黒絵（像）式クラテール、そして騎手の姿が描かれた黒絵（像）式の花瓶・壺（紀元前6世紀）があります。最後に、青銅製や粘土製の馬の像、騎手の銅像や粘土の置物などが発掘されています。

戦車競走
　伝承によると、最初の戦車競走はオイノマオス王とペロプスによって行われたといわれていることは先に述べたとおりです（53頁参照）。
　①から③までは体育的競技でしたが、大会の4日目の朝は、馬を中心にした競技大会がヒッポドロームといわれた馬場で開催されました。
　戦車競走は馬術競技とともに最も人気のある競技で、この競技会に出場する馬は、馬の調教・飼育、馬車にする装備、これらの参加輸送費など莫大な経費が掛かったために富豪たちによる競技とされました。
　競技大会での戦車競技は、以下の通りです。馬場の周回を12周する4頭

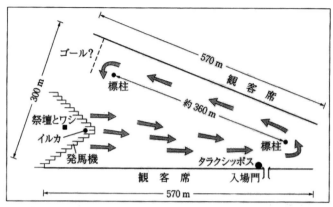

ヒッポドロームの見取り図

立て馬車の戦車競走（テトリッポス）でこれは第25オリンピアード（紀元前680年）に導入され、西暦241年まで続けられました。アペーネ（apene）として知られている競技会では、4輪戦車がラバによって引かれる競走です。これは、第70オリンピアード（紀元前500年）で導入され、第84オリンピアード（紀元前444年）で中止となりました。2頭の馬がひく戦車競走は第93オリンピアード（紀元前408年）に導入され、子馬がひく4頭馬車による競馬は馬場を8周するレースとして第99オリンピアード（紀元前384年）で導入されました。2頭立ての子馬による戦車競争レースのシノリス（synoris）競技は、馬場の広いコースを3回周回するもので第128オリンピアード（紀元前268年）において導入されました。

　競技会での勝者は馬の飼い主となり、野生のオリーブの花輪の冠を授けられました。騎手は羊の切り身を受け取り、それはチームのオーナーによって額に結び付けられました。馬車競走で勝利した騎手には、羊毛で作った勝利の鉢巻が与えられ、騎手の栄誉が永く称えられました。勝利の栄冠、女性、子供も含みさらには騎士の出身都市さえが戦車競走の勝利者として挙げられたのです。

　競争の様子については、少し恐怖心があったようです。スタート場所は、

楔形をした構造物の内側に戦車ごとの枠に入り一斉にスタートしましたが、どの位置からスタートするかは抽選で決められました。大観衆の声援で馬も緊張し、騎手は勝利を願って一斉に鞭を馬に浴びせました。危険な場所は、折り返し点にあった小さな祭壇になっていた柱でした。そこは、「馬の恐怖」としてミュルティロスの「馬脅し」（タラクシッポス）と呼ばれる碑のある場所でした。馬車はここを回るとき柱に激突することがあり、落馬した騎手が後ろからくる戦車の下敷きになることがありました。競争に出る旗手たちは、まず事故がないことを願ってここに供物を捧げました。

　戦車競走で連勝することは難しかったようで、アテナイ出身のキモン：Kimonが第62、64オリンピアード（紀元前532年、524年）に2勝してその名が轟いたといわれています。

　古代競技博物館にはオリンピアの神域から発掘出土したゼウス神に捧げられた奉納品から、戦車競走の長い伝統があったことを物語っています。同様に伝統工芸品や陶器のなかに戦車レースが描かれたものが保存されています。奉納された4頭立て馬車を表現した大理石の断片では、馬は自然主義的に力に満ちた状態が表現されています。

競馬（horse-race）
　競馬もまた戦争で求められる技術ということから、時代の経過に従ってスポーツ的競技へと発展していきました。

　当初競馬はオリンピア大祭では実施されていませんでしたが、イスミア大祭、ネメア大祭、およびパナテナイア大祭での大会には組み込まれていたもので、4ステイド（約769m）の中距離走を争うものでした。

4頭立ての馬車競走

しかし、F.メゾーの『古代オリンピックの歴史』によれば、競馬は戦争のために必要だとされており、時代とともにスポーツ競技に取り入れられるようになり、戦車競走とは別に乗馬技術も発達していったとしていわれています。オリンピアの大会では第33オリンピアード（紀元前648年）から導入され、また子馬の競争はずっと後になった第131オリンピアード（紀元前256年）になってからでした。競馬による勝利者は、馬と馬主の勝利とされ、馬を立派に訓練・調教して育て上げたこともまた、それにふさわしく報われるべきだとされたのです。

　クレオステネス：Kleostenesが、第66オリンピアード（紀元前516年）で勝利した際、自分と騎手と馬の像を建てて同時に4頭の馬の名前まで彫らせたといわれています。

　オリンピアの大会では女性の参加は許されていませんでしたが、女性が馬車競走や競馬で自分の馬を出馬させることは許されていました。スパルタ王アルキダモスⅡ世の娘のキュニスカ：Kyniskaがあげられ、最初の女性勝利者となりました。紀元前396年および紀元前392年の2度にわたって、自らが所有する戦車が勝利をあげたので、キュニスカはこれを記念して、馬車と騎手と自分との立像を制作させ、オリンピアの地に建てさせたといいます。馬車競走で勝った騎手とその馬の飼育者・調教人もまた、それ相応に感謝され、褒め称えられたという証拠でした。キュニスカ以外にも女性がスパルタやマケドニアから参加した女性がオリンピアの大会で優勝しています。

⑤武装競争（ホップライト・レース：hoplite race、ホプリトドロモス：hoplitodromos）

　ホプライト・レースは、死んだ英雄を称えた葬儀レースであったと考えられていますが、戦争に関係したと十分に考えられます。武装競争は、2—4ステイド（通常は2ステイド）の距離を走るスピードレースで、アスリートは戦闘態勢の道具（兜、鎧のすね当て、盾、槍）を身に着けてコースを走ります。この競争は第65オリンピアード（紀元前520年）で導入されました。武装競争

の距離は諸説ありますが、2スタディオン（≒385m）から4スタディオン（約769m）だったようです。重装備であったために動きにくかったようで、競技は成人に限られていました。紀元前5世紀の中ごろからは、兜と盾をもって走るようになり、最後は盾だけをもって走るようになりました。

　武装競争の初優勝者はヘライア（オリンピアのすぐ南）出身のダマレトス：Danaretosで、第65、66オリンピアード（紀元前520年、紀元前516年）で2回優勝しています。有名な短距離走者であったロードス島のレオニダスはこの種目で第154—157オリンピアード（紀元前164年—紀元前152年）で4連勝し、また第205−207オリンピアード（西暦41年—49年）では無名の走者が3度勝っているといわれています。

　古代競技博物館に展示されているのは、アルカイック期の鎧、兜、そして盾です。特に印象的なのは、アルティスにあったひし形の模様で装飾された専用の盾です。赤像（絵）の形をしたレキトスの破片は、ホップライト・ランナーの姿を表現しています。他に展示されているものとしては、動物の骨などでつくったサイコロのような形をした像の台座です。

大会の優勝者・賞・観客

大会の優勝者と勝利の祝宴

　古代オリンピック大会は、「ステファナイト（銀梅花）」または「賞品がステファニーである大会」として知られており、勝利者への賞品は野生のオリーブやコチノスの花冠でした。それは、神々によって与えられた、闘いに勝利した者への最大の栄誉でした。伝説上では、関連するデルフォイ：Delphicの神託に従って、コチノスと呼ばれるオリーブのリースがイフィトスによって大会の賞として授与されたといわれています。勝利者の戴冠のために用いられたオリーブの枝は、ゼウス神殿の南西角近くで育った"Kallistephanos elaia"という木（オリーブの木）から作られましたが、両親がいる若い男子によって金色の鎌で切られたといわれていました。

　表彰式は、ヘラノディカイからなる審判員団を先頭に、各ポリス（都市国

家）からの使節団、優勝者という
順にアルティスに入域し、「ゼウ
ス神殿」まで行進しました。神殿
にあるフェイディアスの制作によ
る巨大なゼウス像の前でテーブ
ルの上に置かれた野生のオリー
ブで作られた花冠を正式にヘラ
ノディカイが戴冠のためにそれ
を取り上げ優勝者の頭上に捧げ
ます。優勝者は、勝利の象徴とし
て、頭の周りの紫色のウールの
鉢巻をしめました。

優勝者の表彰式

　古代ギリシャ人にとって、最
高の栄冠を手にした瞬間とな
りました。観客は彼らに花や葉
っぱをふりかけ浴びせ、歓喜に
あふれていました。紀元前7世紀の大詩人アルヒロコス：Archilochosの賛歌
「よくやった！　輝かしきアスリート！」の詩を読み勝利者を称えました。オ
リンピアの大会で勝利したということの重要性は、計り知れませんでした。
オリンピックでの勝利は、神によって「選ばれし」者でした。彼らの永遠のも
のとなる名声は、最大の褒賞となりました。これらの勝利者は、詩人であっ
たシモニデス：Simonides※64、バッキュリデース：Bacchylides※65 らによって
謳いあげられ称えられました。その中でも最も栄誉があったのはピンダロ
スなどの偉大な詩人たちによって彼らの名は永遠のものと称えられ、受け

※64 紀元前 556 年頃―紀元前 468 年。現ケア島の生まれ。古代ギリシャの抒情詩人、ピンダロスらと一
緒に 9 歌唱詩人の一人に数えられていた。
※65 紀元前 516 年―紀元前 451 年。同じく 9 歌唱詩人の一人に数えられる。ディオニソスの神話を謳っ
た『ディテュランボス』や多数の祝勝歌で知られる。

継がれていくことになりました。

　勝利者たちに捧げられた花冠や青銅製の置物などが古代オリンピック競技博物館に展示されています。競技での勝利者に戴冠している女神ニケの二つのテラコッタ※66は、大理石で作られて献上されているレリーフがあります（紀元前410年）。アルティスから出土したもので断片でしか残っていませんが、競技者を擬人化した床のモザイクの一部として残っています。

成績
　古代オリンピック大会においては、時間を計る手段を持っていなかったので、走者の走った時間を記録することはありませんでした。そのため、誰がどんなタイムで決められた距離を走り抜いたかについては興味も関心もありませんでした。誰が一番であったか、オリーブの冠を誰がつけたか、を知るだけで十分でした。勝利者への財貨の贈り物やオリーブの冠はいつまでもあるモノでなく、輝き続けるものでもありませんし、枯れ果ててしまい、はかないものと考えられていました。
　しかし、著名人や詩人や作家が残した優勝者への讃辞は幾世紀もの後になっても詠み、語り伝えられるものです。紀元前4世紀ソフィスト（知恵のある者、弁論家、詭弁家）のヒッピアス：Hippiasによって、それまでの記録に基づいて古代オリンピック大会での優勝者リストが明らかにされました。それによると、第1回大会の紀元前776年に開催され優勝者は、エリス出身のコロイボス：Koroibosで、種目はスタディオン走だけだったとされています。
　第1回大会には戦車競走などもあったという説もあります。後になって、別の研究者たちによっても同じようにリストが公表されていきました。現在では多くの研究者たちの努力によって優勝者の名前や競技種目、出身国名などが明らかにされてきました（F.メゾー『古代オリンピックの歴史』、N.セ

※66 赤土の素焼き。動物の人形や象牙の小さな彫刻、彫刻のデザインが施された石で作った器などがある。

ルウリウス他『古代オリンピック』）。そのおかげで今日では、私たちはオリンピックで優勝した922人の名前を知ることができるようになりました。

賞

　古代オリンピック大会の優勝者が、彼の出身都市に凱旋した際には最大の栄誉を受けることになります。大会において優勝者を輩出した都市では、優勝したアスリートが彼の4頭立て馬車で帰還できるように街を取り囲む壁の一部は取り壊されました。それから、彼は自分のオリーブの花冠を神に奉納し勝利の報告と感謝を表し、その後都市を防御する役割を担うこととなります。街のすべての市民が、参加して祝典・祝宴が続きました。

　優勝者に与えられるもう一つの特権は、彼の残りの生涯に必要な公費は免除され、すべての税金も軽減され、また議会への参加も許されました。アテナイでは、ソロン：Solon※67が金銭面での賞も設けました。スパルタでは、優勝者は王の側近に座を占めることができる栄誉が与えられました。すべての公開イベントで、オリンピックの優勝者は名誉のある席を与えられ、彼らの名前はステライ（stelai）と呼ばれる石碑に記録されていきました。

　都市によっては、大会での勝利者は死後も英雄として崇拝されました。さらにオリンピックでの勝利は、詩にも書かれているようにまさにふさわしい「謳いあげる価値のある：aoidimoi」ものであり、勝利を祝うために書かれた勝利の讃歌でもありました。彼らはまた、聖なるアルティスの中に彼らの彫像を建ててもらえる権利を与えられていました。パウサニアスは、オリンピアの神域には230にものぼる彫像の存在があったことを記しています。

　このように多くの名誉が与えられ、時代を超えてオリンピックの優勝者としての栄光と永遠の栄誉を称え続けられました。

※67 古代アテナイの政治家、立法者、詩人。当時のアテナイにおいて、政治・経済・道徳の衰退を防ごうとして法の制定に努めたことで有名。アテナイの民主主義の基礎を築いたとされている。

観客

　古代ギリシャ世界の至るところから、大会を見るために何千人もの一般の観客がオリンピアの地にやって来ました。さまざまな都市からその都市の大使、藝術家や科学の理論家、また地区の長や試合の監督官のような人たちに引率されて来ました。彼らはアルフェイオス川とクラディオス川の2つの川のほとり、また聖地にある木の下に建てられたテントに寝泊まりしました。

　有名な雄弁家（ゴルギアス：Gorgias、リュシアス：Lysias、デモステネス：Demosthenes、イソクラテス：Isokrates、哲学者（アナクサゴラス：Anaxagoras、ソクラテス：Sokrates、プラトン：Plato、アリストテレス：Aritstole）、歴史家（ヘロドトス：Herodotos）、政治家、彫刻家、銅像の制作者（ポリュクレイトス、リュシッポス）らも大会を見に来ており、彼らが創作した作品などが公開されました。古代ギリシャの賢者といわれた7人のうちの1人であったミレトスのタレス（またはタレース）：Tales[68]は、競技を観戦していて炎熱と渇きと老齢による衰弱によって死亡したといわれています。ペルシャとギリシャとの戦いとなったサラミスの海戦（紀元前480年）においてギリシャが勝利したことで、紀元前476年の第76オリンピアードにテミストクレス：Themistokles[69]がスタディアム入りした際に観客はアスリートたちへの称賛を叫ぶのをやめ、特別に彼は観客から祝福され、実質的には彼を神様のように崇め、大歓声によってこの英雄を迎え入れたといわれています。また、イソクラテスが自分の"パンヘレニズム思想：Panhellenic Idea（国家を形成するための全ギリシャ世界にわたる絶対的概念）"について大衆に語りかけたということもあったとのことです。

※68 紀元前624年頃―紀元前546年頃。最初の哲学者といわれる。万物の根源を水と考え、存在するすべてのものが水から生成し、水へと消滅していくものだと考えた。
※69 アテナイの政治家・軍人。紀元前493年から紀元前492年までアテナイのエポニュモス・アルコーン（首相）を務め、アテナイをギリシャ随一の海軍国に成長させ、ペルシャ戦争での勝利を導いたことで有名。

女性のための大会：ヘライア祭（Heraia）

　先述したように、女性は馬のオーナーまたは馬術競技における戦車競走チームのオーナー以外は古代オリンピック大会に参加できませんでした。台座の碑文から、戦車競走チームのオーナーとして、勝利を収めたキュニスカの例があったことを示すことからわかります。

　しかし、オリンピアの地で古代オリンピック大会とは独立して、古代のヘライア祭は、女性アスリートだけが参加したイベントで、ヘラ神を称えるために4年に一度行われました。女性の陸上競技は、古代ギリシャ世界の中で著しい発展

おそらくスパルタのものと考えられる少女ランナーの様子

をみせました。オリンピアではヘラ神を祀り、これを崇拝し祝福するために、ヘラ神を記念したレースが開催されました。次の4つのレースがありました。スタディアム：女子トラックでのスプリントレース（177m）、ディアウロス：女子トラックでの2周レース（354m）、ヒッピオス：女子トラック（708m）での4周レース、ドリコス：女子トラックでの18—24周のレースがありました。他にも競技があったようですが、詳細はわかりません。女性は年齢別に子供、少女、若い女性の3つに分けられました。選手は右肩から胸にかけて肌を出すようになった短い肌着：キトンを着て、髪の毛をほぐして、スタディアムのコースを走りました。優勝賞品は、オリーブの冠と、ヘラ神への犠牲に捧げる牛の一片と自分の像をたてることが許されていました。

　競争の様子を示す現存している特徴のあるのは、紀元前6世紀中頃のレプリカですがドドネ：Dodone（ギリシャ北西部イピロスに存在した最古の古代ギリシャの神託所）の女性ランナーの銅像にみられます。

　優勝者には、大会と同じくオリーブの冠や未出産の牛の肉が与えられました。また、自分の姿の様子をヘラ神殿に飾ったようです。

パウサニアスによって述べられているように、優勝者たちは彼女らの肖像をヘラ神殿に捧げました。また、博物館のギャラリーには、ヘラの神殿から発見されたエリス人の二つの彫像（西暦1世紀後半）、ヘロデス・アッティクスの娘でローマの貴婦人であったアテナ：Athenaisの像（西暦2世紀の後半）、戦車競走の一シーンを表現している一連のレキュトス※70などがあります。

　このヘライア祭を男性が観覧することができたかどうかは不明です。
　規則を無視したことが知られている唯一の女性は、ロードス島からやってきたボクサーのディアゴラス（70頁②「ボクシング」参照）の娘で、オリンピックの勝利者の家族として大会に来ていて有名になったカリパテイラ：Kallipateriaでした。彼女の父親、兄弟、息子と甥はすべて古代オリンピック大会での優勝者でした。彼女は大会を観たいために、息子のペイシルロドス：Peisirodosと一緒に行くことにしていました。そこで彼女は、トレーナーに身を隠してスタディアムに入りました。息子は優勝したので、彼女は喜び勇んで彼を抱きしめるために跳び出していきましたが、勢いあまって彼女が身に着けていた上着は落ち、裸になってしまい女性であることが露わになってしまいました。しかし、エリス人の審判員はオリンピック大会での優勝者の家族であったということで、大会で勝利した息子を生み育てたこの女性に敬意を表して罰しませんでした。しかし、その後の大会では、参加するアスリートたちと同じように、スタディアムに入る前にトレーナーを脱いで裸になって検査を受けて入場することが義務づけられました。

※70 オリーブ油などの貯蔵に使われた陶器の一種で、ほっそりした形状で首の部分に把手が付いていた。

2-4 古代オリンピック大会の終焉

　古代オリンピック大会は、全知全能の神として崇められたゼウス神を称える宗教的儀式として紀元前776年に始まりました。しかし、だんだんと大会は宗教的な意味合いは薄れていきました。

　古代オリンピックを支えた理念の高まりは、紀元前5世紀にその最高潮に達しました。しかし、紀元前431年から紀元前404年までのペロポネソス戦争において、それまでオリンピックの開催権を掌握していたエリスの都市国家は、中立を放棄しアテナイ側に加勢しスパルタを大会から締め出しました。この頃を機にギリシャにおける宗教的、民族的な統一は失われていきました。

　紀元前365年アルカディア※71と手を組んだピサはオリンピアを占拠し、開催権を手に入れました。しかし、古代オリンピックの理念もだんだんと薄れ、神への畏敬の念も薄れていき、勝利したアスリートたちも自分の力による勝利だと考えるようになっていきました。

　マケドニア戦争が終結した後の紀元前146年ギリシャ世界はローマ帝国の属州となり、ローマ軍がオリンピアにも駐留するようになりました。オリンピアにやってきたローマ軍の将軍スラは、紀元前80年に全競技者をローマに呼び寄せ、オリンピアでは少年の部によるスタディアム競走だけが行われました。その後は競技種目によってはローマで行われたり、オリンピアで行われましたが、不正が横行したり、審判が規則を犯したり、参加者が遅刻したりするなどの事件が起こるようになってきました。

　西暦393年の第293オリンピアードの時に、キリスト教徒のローマ皇帝テオドシウスⅠ世がすべての異教徒の祭典を禁止したことによりオリンピアでの古代オリンピック大会は終焉を迎える事態となりました。テオドシウス

※71 ペロポネソス半島中央部にある古代からの地域名で、後世に牧人の楽園として伝承され、理想郷の代名詞となった。名称はギリシア神話に登場するアルカス（アルカディア人の祖）に由来。

Ⅱ世の時代になるとキリスト教以外の異教徒の神殿を破壊するようにという勅令が出され、オリンピアの神域にあった建造物は破壊されていきました。

　その後も多くの侵略者によって神域での破壊や略奪が行われ、そのうえ2度にわたる大きな地震によって、建造物は破壊されてしまいました。追い打ちをかけるようにクラディオス川とアルフェイオス川の氾濫で建造物が破壊され、さらに数々の工藝品が流失してしまいました。さらにクロノスの丘の地滑りなどでアルティスを含むオリンピアの神域は、土砂に埋積してしまい壊滅的打撃を受け地中に埋没していき、その後1,000年以上も人目に触れることがなくこの地は永い眠りに入りました。

　考古学者や旅行する地理学者たちが、この地に入りオリンピックの理念を再び呼び起こすためには約1,400年の歳月を要するのでした。

古代ギリシャ文明

　紀元前の古代ギリシャの時代区分を概観しておきます（年代区分は諸説あり）。

　青銅器時代：紀元前3600年―1100年頃

　　　ヘラディック文明期：2500年―1100年頃

　初期鉄器時代：紀元前1100年―900年頃

　幾何学模様時代：紀元前900年頃―700年頃

　アルカイック期：紀元前700年―500年頃

　古典（クラッシック）時代：紀元前500年－300年

　　　対ペルシャ戦争（第1次：紀元前492年、第2次：490年、第3次：480年）

　ヘレニズム時代～ローマ時代：紀元前323年―紀元前30年頃

　共和制ローマ時代：紀元前146年―紀元前31年

　帝政ローマ時代：紀元前27年―西暦14年

　古代世界に発達したエジプト文明（ナイル川流域）、メソポタミア文明（チグリス川・ユーフラテス川流域）、インダス文明（インダス川流域）、黄河文明（黄河流域）といずれも大河流域に発生し、都市・階級・文字・国家を生みました。「四大文明」の考え方は20世紀につくられ、日本の考古学者江上波夫が「四大文明」は自分の造語だと主張していた、とする見解があります。第一は大河の周辺に四大文明が出現した「河流文明時代」、第二が地中海や紅海や黄海などの内海周辺に文明が広がった「内海文明時代」、そして第三が大航海時代以降と発達していきました。

古代ギリシャ文明の起源は、第二の時代であり紀元前8世紀のホメロスのトロイア戦争を題材にした『イリアス』『オデュッセイア』や女流詩人サッフォーによるレスポス島での情熱的な恋愛詩にみられる叙事詩がみられます。また、ピンダロスがオリンピック競技の優勝者に対する祝勝歌を謳いあげていました（抒情詩）。

　紀元前700年頃には、ヘシオドスが、神々への系譜を記した『神統記』を書きました。紀元前600年から300年代がギリシャ文明の最盛期といえるくらい文学や自然哲学、歴史、美術など多領域にわたって優れた作品が生み出されていきました。

　紀元前600年頃に活躍したタレスは、ソクラテス以前の哲学者の一人で、西洋哲学において、古代ギリシャに現れた記録に残る最古の自然哲学者であり、イオニアに発したミレトス学派の始祖でした。彼に続いて500年代には「三平方の定理」を編み出したピタゴラス（「万物の根源は数」）、ヘラクレイトス（「万物は流転する」）、デモクリトス（「万物の根源は原子（アトム）」）、ヒポクラテス（「医学の父」といわれる）、そして400年代になってアテナイで活躍したプロダゴス（弁論術の発達を促す）、ソクラテス（心理の客観性を追求）や、400年後半からはプラトン（理想政治を説く）や『形而上学』『政治学』などのアリストテレス（諸学問を体系化）など著名な自然哲学者・哲学者が誕生し一世を風靡したのです。また、400年代においては歴史学上では『歴史』がヘロドトス（ペルシャ戦争を記述）、『歴史（戦史）』のトゥキディデス（ペロポネソス戦争を記述）が戦史を客観的に記述していました。美術面では、彫刻や建築面で著しい進歩がありました。紀元前5世紀頃になるとフェイデイアスがアテネのパルティノン神殿の建造監督官となり「アテナ女神像」の彫刻、ミュロンの「円盤投げ」「ミノタウルロス」などの躍動感あふれる瞬間を表現した彫刻を作成していきました。

〈古代ギリシャの時代区分〉

時代区分	細分	およその年代	出来事など
石器時代	前期	紀元前30-40万年前 ―紀元前1万3千年前	
	中期	紀元前1万3千年前 ―紀元前8000-7000年頃	
	後期	紀元前8000-7000年前 ―紀元前6000-5800年頃	
青銅器時代	前期	紀元前6000年頃 ―紀元前3200-3000年頃	
	中期	紀元前2000年頃 ―紀元前1650年頃	ミノア（クレタ）文明
	後期	紀元前1650年頃 ―紀元前1200年頃	ミケーネ文明
幾何学模様 時代	初期鉄器 時代	紀元前1200年-1000年頃 ―紀元前800年頃	文字資料の少ない暗 黒時代、幾何学文様期
古典時代	前期	紀元前800年頃 ―紀元前500年末頃	ポリスの成立、紀元前 776年第1回オリンピッ ク大会開催
	後期	紀元前800年末頃 ―紀元前350年頃	ペルシャ戦争、ペロポ ネソス戦争、周辺国の 勃興
ヘレニズム時代		紀元前350年頃 ―紀元前30年	ローマ帝国によるヘレ ニズム文化の始まり
ローマ時代		紀元前30年 ―西暦330年	ローマ帝国の統治下
ビザンツ時代		西暦330年 ―1453年	393年オリンピック中 止

（『詳説世界史図録　第2版』（山川出版社）より作成）

66 オリュンポスの 十二神 99

　本書に登場するギリシア神話は、今でいう近親結婚、骨肉の争いなどまるで魑魅魍魎の世界を描いているようですが、なかなか面白いです。ぜひ一読されるとよいですが、ここではすべてを紹介できませんので、オリュンポスの十二神誕生までを略述します（ここでは"神"を省略）。

　神々の誕生：この世界はカオス（chaos）でした。カオスとは光も形もない「虚空」あるいは「混沌」のこと。このカオスからガイア（大地の女神：地球）、タルタロス（冥界・地獄）、エロス（愛の神）が産まれました。ガイアは天空の神ウラノス（天王星）や海洋神ポントスを産みました。

　ガイアはウラノスと結ばれ、地上に山や木、花、鳥や獣を、また天には星を産み出し、やがてウラノスが降らせた雨によって湖や海ができました。天（ウラノス）は大地（ガイア）を包み込み、天と地が創造されたのでした。ガイアは海神オケアノス（oceanの語源）や大地の神クロノス（土星）、レア、ムネモシュネ（記憶の神、memoryの語源）などのティタン（＝タイタン：土星の衛星）神族の神々を産みました。

　ガイアはさらに、目が一つのキュクロプス族、100の手と50の頭を持つヘカトンケイル族を産みました。ウラノスはこれらの子供を嫌い、産まれるとすぐにタルタロス（神であるが、奈落の意）に閉じ込めてしまいました。

　天地の支配者となったクロノス：ガイアはこれに立腹して、息子のクロノスに斧を渡して復讐を頼んだところ、ある夜、ウラノスがガイアのベッドにやっ

て来たときに、部屋の隅に隠れていたクロノスは襲いかかり、ウラノスの男根を切り落とし海に投げ込みました。この時、海にこぼれた精液からアフロディテ（＝ヴィーナス）が生まれ、大地にしみ込んだ血から巨人族ギガスが生まれ、クロノスはウラノスに代わって天地の支配者となりました。

ゼウスの誕生：クロノスは妹レアを妻にしました。レアは、ヘスティア、デメテル、ヘラの三姉妹とハデス、ポセイドン神を産みました。クロノスは「将来お前も自分の子供に殺されるだろう」というウラノスの呪いを信じ、産まれた子供をすべて呑み込みました。悩んだレアは秘かにクレタ島に渡り、6番目の子ゼウスを産みました。そして、大きな石を産着にくるんでクロノスに渡し、クロノスはその石を赤ん坊と思って呑み込んでしまったのです。

ゼウスは、クレタ島で女神アマルテイア（やぎ座：Amalthea）の乳を飲んで育ちました。成長したゼウスは思慮の女神メティス：Metisに作らせた嘔吐薬をクロノスに飲ませ、兄姉たちを吐き出させました。こうしてメティスとゼウスの間に産まれた子供が女神アテナでした。

ゼウスとクロノスの戦いが始まり、ゼウス兄弟は力を合わせて戦い、クロノス率いるティタン神族をタルタロスに追放しました。ただ一人、力持ちのアトラス（うしかい座：Atlas）だけは追放されず、天と地が接触しないように天球を支える罰が与えられました。この戦いはティタノマキア（ティタン神族との戦い）と呼ばれ、英語のタイタニック：Totanic（巨大な、タイタン：Titan）の語源になったのです。この戦いに勝ったゼウス一族が、オリンポスの神々と呼ばれるようになり、神話はさらに続きます……。

〈オリンポスの十二神〉

ギリシャ名	ローマ神話該当神名	英語名	惑星曜日	その他
ゼウス (Zeus)	ユピテル (Jupiter)	ジュピター (Jupiter)	木星 木曜日	最高神、雷神、判断力・意志力
ヘラ＊ (Hera)	ユノ (Juno)	ジュノー (Juno)		子供と女性の守護神、ゼウスの姉で妻
ポセイドン神 (Poseidon)	ネプトゥヌス (Neptunus)	ネプチューン (Neptune)	海王星	海神、地震の神、ゼウスの兄
デメテル＊ (Demeter)	ケレス (Ceres)	セリーズ		農業の女神、大地母神、大地の力の守護神
ハデス (Hades)	プルト（ン） (Pluto)	プルートー (Pluto)	冥王星	冥界の支配者、死者の神
アテナ＊ (Athena)	ミネルヴァ (Minerva)	ミネルヴァ (Minerva)		戦争の女神、知恵・戦術・技芸の神、都市の守護神
アポロン (Apollo)	アポロ (Apollo)	アポロ (Apollo)	太陽 日曜日	予言・弓術・藝術の神・太陽神
アルテミス＊ (Artemis)	ディアナ (Diana)	ダイアナ (Diana)	月 月曜日	森林・狩猟の女神、弱き者の守護神、純潔の神
アレス神 (Ares)	マルス (Mars)	マーズ (Mars)	火星 火曜日	戦争の神、闘争心や流血を好む神
ヘファイストス (Hephaestus)	ウルカヌス (Vulcunus)	ヴァルカン (Vulcan)		鍛冶と金属鋳造の神、火（火山）の神
ヘルメス (Hermes)	メルクリウス (Mercurius)	マーキュリー (Mercury)	水星 水曜日	風の神、ゼウスの伝令使、旅人・商人・盗人の守護神、豊穣多産の神、家畜の守護神
アフロディテ＊ (Aphrodite)	ウェヌス (Venus)	ヴィーナス (Venus)		愛と豊穣の女神、美と愛欲の神
ヘスティア (Hestia)	ウエスタ (Vesta)	ヴェスタ (Vesta)		かまど（炉）の神、家庭の神、当初12神の一人だったがディオニソスに席を譲る
ディオニソス (Dionysus)	バッコス (Bacchus)	バッカス (Bacchus)		酒と陶酔・解放の神ヘレニズム期最大の神

注意）＊：女神。デメテルはハデスに、ヘスティアはディオニソスにそれぞれ置き換えられることがある。

古代ギリシャ藝術の粋を集めた
オリンピア考古学博物館

　19から20世紀においてオリンピア遺跡内で発掘出土した数々の彫刻や陶器類などの出土品が展示されている考古学博物館には、長い歴史のなかでこの地の繁栄の様子をうかがい知ることができます。この地で発掘出土した古代ギリシャ世界における藝術品の数々は、紀元前の時代にこの地がいかに繁栄し、文明が栄えたかを示しており、驚きに値するものです。考古学博物館において古代オリンピック大会が開催されていた時代の古代ギリシャ時代の藝術に触れることで、競技と藝術について学ぶことで豊かなギリシャ精神が形成されたことを知っていただきたいです。

　これまでに古代オリンピック大会が、信仰と藝術と結びついたアスリートたちによる競技大会であったことを示してきました。信仰と競技が融合した古代ギリシャの藝術の粋がこのオリンピアの地から出土発掘され、それらの発掘品がオリンピアにある考古学博物館：THE ARCHAEOLOGICAL MUSEUM OLYMPIAに収蔵され展示されています。

　オリンピアの神域から発掘出土した宝物を収容する新しい考古学博物館の建設は、当初の博物館（旧博物館）が被った地震によって受けた被害と、アルティス内での次々と発掘調査による多くの工藝品が蓄積されていったことによって避けられない状況になってきました。アテネで開催された

2004年の第28回近代オリンピック大会開催期間中に藝術祭を開催するのにあわせて、建物は拡張されて時代に見合った現代美術館として、時代の要請にふさわしい、新しい展示

オリンピア考古学博物館の建物の前庭

物をそろえての開館の運びとなりました。博物館の建物の複合施設は、展覧会に供用されるスペースとして前室と12のギャラリーで構成されています。博物館は、神域からの比類のない藝術作品で埋め尽くされています。

　1,000年以上にわたる古代における神域の歴史と古代ギリシャの素晴らしい数々の藝術作品、主に彫刻類や日常使用されていた陶器類が展示されています。博物館を特徴づけるものの一部としては、パイオニオスのニケ像やプラクシテレスのヘルメス像(いずれもオリンピアにおける有名な彫像)などの彫刻が挙げられます。彫刻の材料として使われたのは木・石灰岩・大理石・青銅・テラコッタ・黄金・象牙・鉄などです。このうち石、テラコッタなどは非常に保存性が高く、現代まで原型をとどめながら、発掘出土されました。それ以外にも、フェイディアスの杯、ミルチアデス：Miltiadesの兜、そして世界で最も豊富なコレクションの一部といえる青銅製のオブジェクトもあります。

　19から20世紀にかけてオリンピア遺跡内で発掘された数々の彫像や陶器などの日用品類が、一堂にそろったこの考古学博物館こそ古代のオリンピアの歴史と藝術を感じることができる場所なのです。

　展示物は先史時代から初期キリスト教時代まで、年代順、テーマ順に展示されています。ここでは、主に古代オリンピック大会に関連した展示物を紹介しますが、館内の展示物はどれも古代ギリシャ藝術を代表するものも

多く、そのいくつかについても取り上げておきます。

　考古学博物館の入り口を入ってすぐの前室を除いて左周りに12のギャラリーがあります。ここでは、「Chapter 1. オリンピア（Olympia）の地を訪ねて」の「１－２オリンピアの歴史」で取り上げた年代順に神域から発掘出土した彫像や陶器などの主な展示物を紹介していきます。

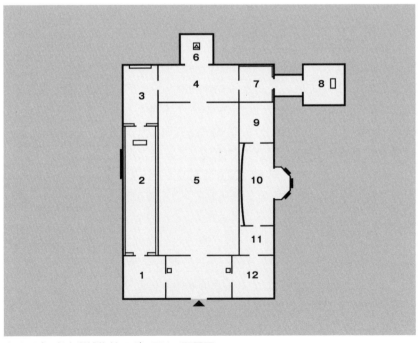

オリンピア考古学博物館のギャラリー配置図

3−1　時代別作品の特徴

先史時代 （紀元前 4300 年頃—紀元前 1100 年頃）

　館内の順路は、前室から右回りにギャラリーが続きます。最初のギャラリーには、オリンピアにおける先史時代から後-先史時代に関する出土したものが展示されています。この地域での居住を示す最も初期の証拠は、新石器時代の終わり（紀元前4300年—紀元前3100年）とされており、スタディアムがあったとされる付近で発見された破片が展示されています。

　神域のスタディアム（Ⅰ）の西端でゼウス神の大祭壇とニュンファイオンがあった辺りとされる場所において、先史時代の特にヘラディック時代（紀元前3100年—2000年）の塚（古墳）があった地域から陶器と石器が発見されています。また、新石器時代の陶器などの破片、手作りの陶器、錨型の物、道具、この時代の代表的な陶磁器のような鍋、水差し、両性のゴブレット（金属やガラス製の足付きグラス）、片手鉢、灰色がかった色のカンタロイ（飲酒用カップ）、香炉などの日用品があります。

　初期ヘラディックⅢ期—中期ヘラディックⅠ期（ほぼ紀元前3000年—紀元前2000年）のものは郊外の建物の周辺で発見されたものとしては、甕が埋められていました。特に、アスクス（油やワインの瓶）とカンタロイ（ワイン飲料容器）のような多くの陶器が作られたことを示しています。

　中期ヘラディック期（紀元前2000年—紀元前1600年）になると、先の時代と同様の陶器や各種の道具が展示されています。灰色の粘土製のアスコイ（独特の形態を持つ土器の一種）やカンタロイ、やや硬めの質感の表面や表面の幾何学模様で刻まれた装飾された「アドリア風」の陶器などの代表的な花瓶が展示されています。石器は、斑状の黄鉄鉱と黒曜石の滑らかな石が用いられているのが特徴です。また、大きな墳墓も保存されています（紀元前2050年頃）。

　後期ヘラディック期からミケーネ時代（紀元前1600年頃—紀元前1100年

頃）には、博物館周辺の丘陵地にある墓地のミケーネ様式の墳墓の地下室から発見される最も一般的な出土品によって特徴づけられています。ミケーネ時代の墓や特にエリス人の墓からここ

ミケーネ時代の陶器

に展示されている典型的なミケーネ時代の陶器としては、単純な直線的な装飾で、アロマオイルや軟膏を入れる丸みを帯びた円筒形をしている容器でした。飲み物用の容器（キリックス：kylikes, kylix）、液体用容器（両手瓶、アンフォラ）などもあります。他には特徴的なクテリスマータ：kterismotoと呼ばれる墓に入れてあった供物や埋葬品などに、プサイ（ψ）の文字のような形をした粘土製の置物、ガラス状のものを塗り込んだビーズのネックレス、錘（石または粘土製の錘）、個人用のグルーミング（剃毛刃）、シールストーン（さまざまな目的のためのすばらしいミニチュア工藝品）、それに加えて先進的な武器などがあります。オリンピアの地で数少ないミケーネ時代のものが、今まで残っているという珍しいものです。

幾何学模様の時代と前アルカイック期（紀元前10世紀―紀元前8世紀）

　ギャラリー2.では、世界で最も豊富な青銅製のコレクションが収集されており、このオリンピアの美術館のユニークさは、幾何学模様の時代とアルカイック時代の発掘物の展示で特徴づけられており、その素晴らしさがとてもわかりやすく展示されています。　幾何学模様の時代（紀元前1050年―紀元前700年）の展示物は、粘土製や青銅製の置物、ミニチュアの三脚型

レベ※72（3つの脚の大釜）、および金属板など多くの発見された発掘品によって占められています。大きな三脚型レベは、この時期の最も素晴らしい作品であるといえます。

三脚型レベ

　ゼウス神殿内のゼウス神の偉大な祭壇を覆っていた厚い火山灰層の中からは、数百個の人形が回収されています。置物と一緒に展示されている注目されるものは、最も初期の三脚型レベです（紀元前9世紀）。

　人間を表す幾何学的模様が施された置物は、小規模彫刻の最も初期の例であり、それらはペロポネソス半島にある各地（アルゴス、コリント、ラコニアおよびエリス）の工房で作られたものです。粘土製や青銅色の人物像は、力強く抽象的なスタイルで描かれています。彫像の男女の性別がはっきりと強調されるようになってきていますが、これは初歩的な描写方法です。

　最も初期の人間の姿をした置物のいくつかについては、考古学者によって神域内の偉大な神ゼウスと妻のヘラ神と同定されています。しかし別の研究者は、戦士や戦車の騎士を表していると考えています。また別の像では兜をかぶっており、おそらくゼウス・ポレミステス：Zeus Polemistes（＝ゼウスの戦士：Zeus the Warrior）を表しているのではないかと考えられています。

※72 古代ギリシャのレベは、もともと丸い船底をしていた。直立させるためには台座が必要であり、脚で支えられていた。一般的に食品を混合するためのボウルとして使用されていた。

前アルカイック期（紀元前 8 世紀末期—紀元前 7 世紀初頭）

　紀元前8世紀の終わりから紀元前7世紀の初めにかけて、藝術家たちは東方の影響を受けるようになりました。植民地化の大きな波で、ヘレニズム文化が地中海と黒海の沿岸にまで広まっていきました。入植者たちは、故郷に帰るときに多くの藝術作品を持ち帰りました。地方の藝術家はこれらの特徴に注目し、自分たちの独自性の様式と持ち帰ってきた作品の影響を受けてこれらを模倣したり自分たちの作品の中に取り入れたり真似をしたりして同化させていき、ギリシャの藝術家の本来の個性を尊重しつつ東方の影響を受けたユニークな藝術作品を生み出していきました。

　「**オリエンタライジング・スタイル（東方化様式）**」として花開いた紀元前7世紀における藝術作品は、東方（主に小アジア地域）の影響を受けてそれを発展させながら、紀元前8世紀の終わり頃から紀元前7世紀の間に、東方地域におけるプロトタイプに続く新しいタイプのレベが流行して「黒海の時代」になりました。この時代の作品をギャラリー 3. で見ていきましょう。

　この時代の技巧上の特徴としては、花瓶のふちにライオンの頭部、グリフィン（鷲の翼と上半身でライオンの下半身をもつ伝説上の生物）やセイレーン（ギリシャ神話に登場する海の怪物、半身が人間の女性で、下半身は鳥の姿とされる）に施すようになりました。台座は、槌で飾られた円錐形をしていました。年代を推定する限りでは紀元前7世紀のものと考えられるグリフィンのプロトーム（口の周り4ヵ所がこのグリフォンで飾られた三つ足の大釜）は、槌で打たれた技術で同様に作られるか、もしくは目がくり抜かれた鋳造つくりです。これらは、神話上の存在としてのデーモン（鬼、悪霊、悪魔）的かアポトロパ（象牙の彫刻が施され、保護神の絵で飾られている）的な表現がされています。

　紀元前7世紀後期にかけての特徴は、人間の姿がその大きさや輪郭に関して詳細に描くようになってきたことです。粘土製や青銅製の動物の置物は、とても抽象的で型にはまっているように見えます。例えばこの時代になると、腕を持ち上げた状態で兜をかぶった戦士の青銅製の置物などに見られるようになってきました。作品は、馬と牡馬が最も多く表現されています。

小馬は、華奢な体、細長い鼻面、特に長い脚で表現されています。堂々とした均整のとれている鋳造された青銅製の馬の置物は、幾何学模様の時代からアルカイック期への移行となっていくことを印象づけています。

　斑状にしたり槌で打つ技法を用いた単純な幾何学模様や花紋で装飾された数枚の青銅板の合わせ方は、冠の作製法にその応用技術が用いられたと考えられます。

　神域内からの最も貴重な奉納品とされた青銅製の三脚型レベは、ホメロスの時代の早い時期に大会で賞品として授与されていたものです。幾何学模様の時代の青銅製のそれらは巨大なものからミニチュアサイズまであり、アルティス内において多くの研究者たちによって発見され、その代表的な作品がいくつも展示されています。そのほとんどは、足の形を保ち、らせん形、円、破線などの幾何学模様で装飾されています。レベの把手のうち最も初期のものは特に、仔馬や小馬に穴をあけていたり花冠が付けられています。このタイプのレベは、紀元前8世紀の第3四半期から紀元前7世紀にかけて作られたものです。

アルカイック期（紀元前 7 世紀—紀元前6世紀）

　神域が草花であふれた花園であった時代は、多くの人々がこの地にやってきた時代でもあり、豊富な青銅製のオブジェによって特徴づけられていました。それらは主に人形や船の付属品で構成されていますが、盾、兜、金属板、胴よろい、鎧装、鎧のすねあてなどがあります。

　ギャラリー 4. の中央には、目がくり抜かれた鋳造製（紀元前590年—紀元前580年）の翼のある女性像がありますが、これは槌で打刻された技術の中では稀な大作の一つです。この前の時代の東方（紀元前8世紀）から移入された、この女性像の後ろにある青銅色のライオンの頭は、建物の飾りだったのかもしれませんし、盾の中心になるグリフィンのプロトームだったものではないかと考えられています。アルカイック期の槌で打たれた青銅板は木造建築物、ドアまたはドア窓のわき柱の上に外装として利用されていました。また、それらは大部分がイオニア様式を制作する工房で作られていた

ものです。

　この時代の道具は、人物、動物、その他のテーマによって装飾された把手^{とって}や台座に特徴があり、利用方法によって細かく工夫されて用いられています。ここで目立っている作品は、戦士の銅像、杖を持った老人の像（紀元前550年）、青銅のコレー像（乙女像）※73、小さめのレカン※74の把手などにみられるなど、これらはラコニア人の工房で作られたものです（紀元前5世紀初期）。花飾り（紀元前570年—紀元前550年）の両側にある2つの対面するスフィンクスは、ラッパ飲みするための飲み口をもっている傾いたセイレーン（紀元前530年—紀元前520年）や細かい特徴を持つ槌^{つち}で打たれた女性用マスク木製の彫像の顔（紀元前650年—紀元前625年）などから製作者の特別な藝術的技能と繊細さをみることができます。

　武装用具を見てみると切り込みを入れた防護用の胴鎧^{よろい}は、紀元前650年から625年の間にイオニア人の工房における優れた技術があったことを示すものです。その表面には、弦楽器のリラのような切込みのある装飾が施されています。ゼウスの背後には2人の神が立っており、アポロン神の背後には2人の女性像、おそらく智の女神ミューズ：Musesとハイパーボレアン※75の乙女とみられます。また、動物や花をテーマにした装飾によって埋め尽くされています。らせん状の模様は、青銅製の鎧の脛^{すね}当てに詳細に表現されています。コレクションの中で最も保存状態の良い切込みが入れられ、保身のための防護用の呪文を入れているものもあり、オリンピアのゼウス神に捧げられたものと考えられます。

　盾の外装は、魔除け的なエンブレムで装飾されていました。最も印象的なものの中には、ライオンの足と魚の尾を持つ羽をつけたゴルゴンを示す槌で打刻された切り抜かれたシートがあります。細部は、切れ込みがつけられて描かれています（6世紀前半の後半）。槌で打刻された翼のあるゴルネ

※73 長い緩いロープに身を包んだ若い女性の古風なギリシャの立像。
※74 2つの水平の把手と広い低い足を持つボウルで、蓋がなく多くの場合装飾されていない。
※75 古代ギリシャ人は、北の風の神であるボレアスがトラキア地区に住んでいたと考えたので、この名がつけられた。

オンの頭の周りから3つの大きな翼が円を形作るようになっており、オリンピアの聖域に見られる特大の盾のエンブレムの最も代表的なものの1つとなっています（紀元前6世紀前半）。

　アルティス内で数百人分におよぶと見られる兜については、3つのタイプがあります。ほとんどが「コリント様式」で、紀元前7世紀から紀元前6世紀までに発展していったと思われる全体像を示す多数のサブタイプがあります。「イリュリアン式：Illyrian※76」と「ハルシディアン式：Chalcidian※77」兜も展示されています。これらの中で注目に値するのは、額に銀の切り抜きシートと同様に頬の部分が飾られているイリュリアン式の兜です（紀元前530年）。

　展示物の中で防護用の服装に身を固めるための武装具の特徴としては、前腕部分・上腕部分、ミトラ（下腹部と性器を保護するために腰の周りに着用）、太もも・足首と脚などあまり目立たない部分を守るためのものでした。この展示室の中で圧倒されるものは、ヘラ神殿の中心となるアクテリオンのテラコッタです（紀元前7世紀末期─6世紀初期）。円盤状の形状、レリーフ面、装飾的なテーマと色の組み合わせは、途切れることのない動きを感じさせます。アルカイック期における特徴を最大限に示した彫刻は、ヘラ神殿の場所で発見された女神の巨大な頭部がオリンピアにおける代表的なものでヘラ神と考えられていた可能性があり、神殿内に

ゼウス神（左）とヘラ神（右）の頭部

※76 イリュリアは、古代ギリシア・ローマ時代に現バルカン半島の西部に存在した王国。イリュリア語を話すイリュリア人によって建国され、共和政ローマによって滅ぼされた。
※77 このタイプの兜は、青銅製でギリシャ世界の古代の戦士たちが着用し、紀元前5、4世紀に特にギリシャで人気があった。ギリシャ南部地域でも広く着用されていた。この兜はコリント式兜の発展形のように見える。

立っていたゼウス神とヘラ神のカルト的なものをあらわすものの一部であったと考えられています。アルカイック的な藝術の特徴的な笑顔、頭の上のポロ（高い円筒形をした冠）、そして大きなアーモンド形の目をした女神像は、紀元前600年頃のペロポネソス人の工房での作品です。

　具体的に展示されている工藝品を見てみると、アルカイック期と古典時代の陶器、この時代の建物に属する青銅製のオブジェと建築部材の破片です。陶器の製造は、大部分は地元で行われているか、ラコニア人の工房で作られていました。典型的な形は神話の場面で飾られたエリスのレキトス：lekythoi（オリーブオイルを入れておく容器）とラコニアのキリックスです。右手にあるスフィンクスの女性頭部はゲラ人：Geloansの宝物庫上のアクロテリオン：akroterion[78]であり、紀元前530年―紀元前520年のマグナ・グラエキア（大ギリシャ）時代の作品です。

　特に注目に値するものとしては、青銅製の容器のような中央に突起部のある浅いボウル、カドイ（桶）、レカン、三脚型レベ、ライオンの脚、台座、美しく機能する把手などが展示されています。これらは、金属加工された藝術作品としての素晴らしい例です。これらの中で特に注目に値するのは、メトープに飾られた大きな鋳物（いもの）製の三脚、跳躍を表現した香炉の台座、人間の原始動物や動物で飾られた花柄の模様など花を持つ女神で什器（じゅうき）や青銅製のスフィンクスなどの台座です。他に展示されているものは、ピンやブローチ、ブレスレット、ブロンズリングなどの宝石類やフライパンのような形をした容器、レベのふちに子羊の頭を模したものなどがあります。

　宝物庫からは、建築物の一部とされるテラコッタが発掘されています。テラコッタの天井の蛇腹のセクションもみられます。それらに使用されている色彩とパターン、使用された色は茶色、黒、赤、黄土色および白っぽい色で、まだ美しく保存されています。コーナーの大きな一角を占めるものが、ゲロ人の宝物庫に所蔵されたペディメントの塗られたテラコッタの装飾された

※78 平らな台座に置かれた建築装飾品で、古典的な建物のペディメントの頂点または隅に取り付ける。

ものです。

　ギャラリーの壁には、紀元前520年頃の装飾とローマ時代に追加された考古学者の碑文とペディメントのセクションが掲げられています。ペディメントのサイズは、横5.70m、縦0.75mで、ギガントマキア：Gigantomachy※79の様子は、建築彫刻で特に人気のあるものです。ペディメントの11体のうち、巨人を表す中央のものだけが比較的良好な状態にありますが、他の一連のものは保存状態がよくありません。戦いに参加しているのは、ゼウス、アテナ、アレス、ポセイドンの神々と英雄ヘラクレスです。ペディメントの隅にあるのは神々と巨人たちで、海の蛇と獣に取り囲まれています。

古典（クラシック）時代（紀元前 5 世紀―紀元前 4 世紀）

　ギャラリー5. ではアルカイック期の左右対称の特徴は消えていき、自然体を重視した、動きを感じさせる非対称の造形が目立つようになります。

　紀元前5世紀の初めに、アテナイではクレイステネス：Kleisthenes※80によって民主主義が確立されました。ペルシャ戦争の劇的な勝利の後、ギリシャはペルシャに対する勝利によって国力をつけていくことができました。そして、それは実際にはギリシャ民族とすべての西洋文明のその後の歩みを決定することになりました。このような激しい戦いがあったことは、ギリシャ人にとって社会的、政治的、宗教的、そして知的な生活に即座に影響を及ぼしていきました。そして、藝術面での創造に最も輝かしい時代の始まりを見たのでした。古代における動きのない人物像は消え、調和のとれた活気に満ちた動きのあるものにとって代わりました。必然的に古風な笑顔は失われ、内向と内省を示唆する真剣で厳しい表情をしています。確かに、これらの変

※79 ギリシャ神話における宇宙の支配権を巡る大戦で、オリュンポスの神々が巨人族ギガース（複数形：ギガンテス）たちと戦った。最強の英雄ヘラクレスがオリュンポス側の味方として参戦したことでも知られる。
※80 紀元前 6 世紀後半―紀元前 5 世紀前半の古代ギリシャの政治家、民主主義者。アテナイの民主政の基礎を築く。

化が現れるとき、初期の古典時代（紀元前480年—紀元前450年）では"厳格な様式"として表現され始めており、またそれは藝術における古典時代のさきがけとなるものでした。

　神話の中のすべての神々がそこに表れています。来館者が思わず神話の世界に引き入れられていったように、21体の像でペロプスとオイノマオス王の競争の様子を最もよく表現しといえるでしょう。このように、藝術家は傑作を残すことに専念しました。ペディメントの隅にある2本の神聖な川を見せることで、競技が川の合流点にあるオリンピアで起こるであろうことを語りかけています。オイノマオス王の戦車の背後にいる戦士を表現することによって、これから恐ろしい競争が始まることを知らせており、顔の激しい表情と出走者の静けさからこれから起こる結果が苦しみや劇的なことになるであろうことに対する苛立ちを表しています。

　ペディメントにおける像の位置づけは、長年にわたる多くの研究と学者間との間に意見の相違がみられます。現在展示されているのは、像の位置とサイズが考慮されています。2体のカップルのオイノマオス王とステロペ、ペロプス王とヒッポメディアの位置、ゼウス像の位置、そして2体の河の神の識別についても、依然として意見の相違が残っています。

後期古典時代—ヘレニズム時代（紀元前4世紀—紀元前1世紀）

　マケドニア王国の勢力拡大にともない、ギリシャ文化が東方に広く浸透していった時代です。小アジア、シリアなどのオリエント文化とギリシャ文化が融合したヘレニズム文化が成立しました。この時代の典型的な建造物としては、紀元前432年に完成したアテナイのパルティノン神殿があげられます。これは、この時代における偉大な建造物といえるものでした。しかし、翌年の紀元前431年に長年にわたってライバル関係にあったアテナイとスパルタとの間で両都市国家のどちらに与するかという多くの都市を巻き込んだペロポネソス戦争というギリシャ国内の内戦が勃発し、この戦いは30年間（紀元前433年—紀元前404年）続くことになります。

この時代の偉大な作品はギャラリー9.に展示されており、パルティノン神殿にあるアテナ・パルティノス像とアテナ・ニケ神殿のレリーフで、戦争中の休戦条約が結ばれた際に制作されたようです。そしてオリンピアの神域には、9mの台座に設置されたパイオニオス作の「ニケの戦勝記念モニュメント」で「パイオニオスのニケ」の像と呼ばれる有名な像があります（119頁参照）。

アテネにあるパルティノン神殿

アテネのアクアポリスの丘から中央下にディオニソス劇場、神殿、右に黒い建物が新アクロポリス美術館を見る

　後期古典時代とヘレニズム時代のものは、アルティスには数百点もあったはずですが、この時代の彫像が残存していないため発見された数点だけが展示されています。

　展示されているのは、陶芸、置物、そして2体の彫像の着席している女性像（紀元前1世紀中頃）と恐らくディオニソス神（酒・陶酔と解放の神）だと思われる一部横たわっている男性像（紀元前4世紀後半―紀元前3世紀）だけです。

　ギリシャ彫刻も全盛期を迎え、より写実的な造形の作品が増えるようになり、この時代の彫刻は、後に14世紀にイタリアで起こったルネサンス美術に

も影響を与えました。

最後の2つの部屋のうちのギャラリー 11. には、ローマ時代のオリンピアの特徴として数多くの彫刻が展示されています。

ニュンファイオンから発掘された、西暦 2 世紀後期のヘロデス・アッティクスとその妻レジラが奉納した彫像があります。ローマからの侵入で、神話に登場する神々やローマ皇帝とその家族などの像がギャラリーに多数展示されています。

メトロオンとヘラ神殿で見つかった彫像の一部が次の部屋に展示されています。メトロオンからは、小アグリッピナ（西暦15年─59年、ローマ帝国ユリウス・クラウディウス朝の皇族）の若い時の像が出土しています。クラウディウスの妻であり皇帝ネロの母でもありました。皇后が巫女として描かれていることは、頭上からヒマティオン※81をかぶっていることからも明らかです。ヘラ神殿からは、エリス人の貴族の像、ローマ皇帝やその妻の像がみられます。

そして最後の部屋のギャラリー 12. では、実用的な器、鉄の道具（斧、つるはし、串、はかり、ハンマー、鉄製のつばなど）、そしてアルティスのテラコッタの破片などがあります。出土したもので価値のある装飾品としては、鉄製の印章の指輪、特徴的なランプ、粘土製の家庭用品などがあります。

陶芸、手紡ぎ用のつむぎ糸巻のリール、人形、動物の置物、テラコッタ、ブロンズの宝石、その他の青銅製のなかで関心の対象となるもので特に興味深いのは、半透明のガラスで作られた非常によく保存されたガラス容器です。それらの類型は豊富であり（受け皿、香水瓶、フラスコおよび薬瓶または浅い鉢など）、そしてそれらの示す年代は西暦1世紀から4世紀までの長い

※81 古代ギリシャの男性と女性は通常、体の上に下着（キトンまたはペプロ）とマント（ヒマティオン、クラミー）の 2 枚の衣服をドレープを入れて重ね着していた。

期間をカバーしています。

　アルティスからの実用本位の粘土製の陶器で、初期のキリスト教の時代においてもこの聖域で人々の生活が継続していたことを示しています。

初期キリスト教の時代（4世紀—7世紀）

　最後のギャラリーには、実用的な器、鉄の道具（斧、つるはし、串、はかり、つめ、ハンマー、鉄製のつばなど）、そしてアルティスから出土したテラコッタの破片などがあります。出土したもので価値のある装飾品としては、鉄製の印章の指輪、特徴的なランプ、粘土製の家庭用品などがあります。

3-2　特筆すべき代表作品

　ここでは、考古学博物館で展示されているもので特筆すべきものとしていくつかの藝術作品を紹介します。

ギリシア神話に出てくる「ヘラクレスの12の難業」

　オリンピア美術館の中央ホールに展示されているのは、古代ギリシャ藝術の厳格な様式をとりいれた素晴らしい例とされるゼウス神殿の装飾です。ギャラリー5.にある作品は42体の像を含む東西2つのペディメント作品、「ヘラクレスの12の難業：The Labours of Herakles」を表す12のメトープ、そしてライオンの頭部の噴水孔などはギリシャ美術の厳格な様式を表す最も素晴らしい例で、すべてパリ：Parian（エーゲ海のギリシャのパロス島）産の大理石で彫られています。

　ギリシャ神話で非常に重要な存在とされていた英雄ヘラクレスは、エウリュティオン王から与えられた難業をさまざまな苦難を乗り越えて王のもとへと行くのでした。その他にも多くの困難を乗り越え、念願の王の娘を愛人にしたために妻の嫉妬にあい、苦しみながらも昇天し、ついに神となっていき

ます。

　ティリュンス、ミケーネとアルゴスの王のエウリュティオンは、デルファイ
の預言に従って、ヘラクレスに12の難業（The Labors of Hercules）を遂行
することを命じました。この英雄は、ヘラ神の悪だくみによって彼の妻と子
供たちを殺害したことから免罪されるために、この狂気の行為を実行して
しまいました。12の難業を描いたメトープは神殿のプロナオスとオピスト
ドモスへの入り口の上にあり、ヘラクレスはゼウス神の最愛の息子として
彫刻の装飾の中で際立った位置を与えられています。オリジナルの作品は、
1829年にフランス軍のメゾン将軍の命令によって持ち去られパリのルーヴ
ル美術館にあり、メトープの一部（最初のネメアの獅子①、アルテミスの聖

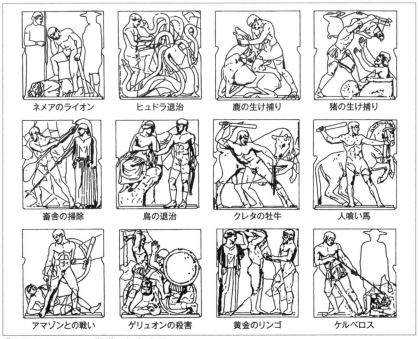

ネメアのライオン	ヒュドラ退治	鹿の生け捕り	猪の生け捕り
畜舎の掃除	鳥の退治	クレタの牡牛	人喰い馬
アマゾンとの戦い	ゲリュオンの殺害	黄金のリンゴ	ケルベロス

「ヘラクレスの12の難業」を表す図

獣⑤、大イノシシの生け捕り⑦、ゲリュオンの飼う牛⑨、そのほかの断片）について、考古学博物館ではレプリカを見ることができます。

①ネメアのライオン退治：The Lion of Nemea

若くてひげのない顔立ちの容姿をしたヘラクレスの最初の難業は、ネメア※82にすむ獅子を退治しその皮を持ってくることでした。ヘラクレスは武器らしいものを持つこともなく、棒だけで

ネメアのライオンと闘うヘラクレス

このどんな刃物も受け付けない不死身の体をした獅子を洞窟に追い込んで、首を絞めつけ殺すことができました。しかし、獅子を殺すことができてもその皮をはぐことも至難の業で、やっとのことではいだ皮を身にまとい獅子の頭を兜代わりにすることで、第1の難業を果たしました。

②レルネ沼にすむヒュドラの退治：The Lernaian Hydra

レルネ※83の沼に住んでいるという九つの頭をもつ猛毒のある蛇の怪物は、作物や木を次々と破壊していました。ヘラクレスがヒュドラの首を斬っても斬っても新しい頭が出てきてなかなか決着がつきませんでした。そこでヘラクレスは彼の従者イオラオス：Iolaos（双子の兄弟イピクレスの子）の

※82 ペロポネソス半島北東部にある Elissos 川の谷の頂き近くにある古代遺跡。
※83 ペペロポネソス半島の東部のアルゴリス地方に位置する。

助けを借りてこの蛇を倒しました。

　ここに所蔵されているものは、英雄が斬首した恐ろしい怪物の触手で、その色の痕跡がまだメトープの左側に残っています。

③ステュンパロスの鳥：The Stymphalian Birds

　ペロポネソス半島にあるステュンパロス湖畔の森に棲んでいたとされる、鉄の羽と手を持つ野生の肉食性の鳥の群れは湖の周囲に恐怖を拡めていました。ヘラクレスはその鳥の群を彼の矢で射止めて、それらを守護神である女神アテナに差し出しました。

ヘラクレスとヒュドラの戦い

　作品ではアテナ神は裸足で岩の上に座っており、一般の女性を従わせています。

④クレタ島の凶暴な牡牛の捕獲：The Knossian Bull

　次にヘラクレスが受けた命令は、クレタ島にいる凶暴な牡牛を連れ帰ることでした。持ち主の島のミノス王からは、勝手につかまえてどこにでも連れて行ってよい、といわれたのでこの牛と格闘の末、エウリュティオン王の所に連れて帰りました。

　西のペディメントにはクレタ島のいたる所に災いをもたらしている、といわれている牡牛をヘラクレスが独りで捕らえようとしている様子を、力と力とがぶつかり合う緊張感あふれる激しいシーンとして見事に表現しています。

⑤ケリュネイアの山中にいる黄金の角を持つ鹿の生け捕り：The Kerynitian Hind

断片的に保存され
ており、メトープはヘ
ラクレスが捕らえる
ことになっていた黄
金の角をもったケリ
ュネイア※84山中の神
聖な鹿を生け捕りし
たことを表現してい
ます。この鹿は女神
アルテミスの聖獣で
5頭のうちの1頭でし

女神アテナ（左）の庇護を受け、ケリュネイアの鹿を捕らえたヘラクレスとアルテミス

た。とても俊足で1年間もこの鹿のあとをヘラクレスは追い続けたといわれ
ています。川を渡ろうとしたとき、この鹿を捕らえ、肩に担いで王の所に運ん
でいきました。この難業は、彼がエウリュティオン王から義務づけられてい
た2番目※85のものでした。

⑥アマゾン族の女王：The Queen of the Amazons

次にヘラクレスは、エウリュティオン王の娘が欲しがっている、アマゾン
族※86の父親の戦さの神であるアレス神から与えられた女王ヒッポリュテ：
Hippolyteが身につけている美しく鍛造された腰帯を彼女から奪い取るよ
うに命令されました。ヘラクレスは、ヒッポリュテを殺し、その死体から帯を
はぎ取り、またアマゾンたちと闘いながら途中長い航海をしてギリシャに帰
ってきて王に帯を差し出しました。

※84 ペロポネソス半島中央部にある古代からの地域名で、後世に牧人の楽園として伝承され、理想郷の
代名詞となった。この地方を流れているラドン川あたり。
※85 ヒュドラ退治は、ヘラクレス一人でやったのではなく他人の助けを借りてやったので、10の仕事に
は数えないとエウリュティオンは全死者に伝えたとある。
※86 トラキアのさらに北方の辺境に住んでいる女戦士たちの種族。

彼女を殺害した瞬間のヘラクレスの姿を表現した、ひどく保存状態の悪いメトープがあります。ギャラリーの反対側にあるプロナオスの入り口の上にあった他の6つのメトープは、ヘラクレスが難業の一部を成し遂げたことを示しています。

⑦エリュマントス山中のイノシシの生け捕り：The Erymanthian Boar

　ヘラクレスが、ペロポネソス半島のエリュマントス山で怖れられていた大イノシシを雪の中に追い込んで疲れ果てたところを網にかけて生け捕りにして、肩に担いでいきます。彼はそれをエウリュティオンに捧げることになっていましたが、エウリュティオン王は生きている怪物をみて、恐怖から貯蔵用の甕の中に逃げ込みました。

⑧ディオメデス王の馬を連れて帰る：The Horses of Diomedes

　ヘラクレスはトラキア※87の王ディオメデスが飼っている人間を食べる牡馬を捕まえて馬勒（馬の頭部につけるおもがい、くつわ、手綱の総称）を架けました。恐ろしい怪物の馬に王を餌として与えて馬が満腹になっておとなしくなったところを捕らえてエウリュティオン王のところに無事連れて帰ることができました。このメトープは、西ペディメントにおける一シーンを彷彿とさせてくれます。

⑨ゲリュオンが飼っている牛の群れを連れて帰る：The Murder of Geryon

　エリュティア島に住んでいた三人の巨人が腹のところで合体している怪物のゲリュオン：Geryonは、牛の群れを守っています。牛の群れを飼っている怪物の巨人ゲリュオンが住んでいたのは、世界の西の果てといわれたエリュティア島※88でした。島に着いたヘラクレスは番犬を打ち殺し、牛飼いも

※87 バルカン半島南東部の歴史的地域名。北西をアドリア海に、南西をイオニア海に、南と南東をエーゲ海に、そして東と北東を黒海によって区切られている。
※88 ヘロドトス著の『歴史』によれば、紅島のことで「あかねさす」の意から来たのであろう、とされている。現在のジブラルタル海峡の岸壁のあたりと考えられるとしている。

殺し、牛を連れて帰ろうとしたところ、この事件を知ったゲリュオンが追いかけてきました。ヘラクレスはこの巨人を矢で打ち殺しました。現在のジブラルタル海峡のあたりからスペイン、フランス、イタリアを通って長旅の末多くの牛が死にましたが、残りの牛をエウリュティオン王のもとに連れて行くことができました。

　ここに描かれているのは、巨大な怪物の殺害の場面です。

⑩ヘスペリデスたちの守る黄金の林檎の実を取ってくる：The Apples of the Hesperides

　神話によると、エウリュティオン王にヘラクレスは黄金の林檎を取って来るように命令され、ガイア神の結婚祝いとしてヘラ神に持っていくように命令されましたが、黄金の林檎は、世界の西の果てにある楽園で三人姉妹の美しいヘスペリデスの精霊たちによって守られていました。ヘラクレスがしばらくの間だけ怪力のアトラス神※89の代わりに天空を支えている間に、アトラス神はヘスペリデスの園から林檎を取ってきてくれと頼まれ、ヘラクレスが天空を支えている間に林檎を取ってきてヘラクレスに渡しました。

　これは、最もよく保存されているメトープで、他のものの大きさを推定することができるものです。メトープには、アトラス神が戻ってきて、ヘラクレスに林檎を差し出しているところが表現されています。平和の女神アテナは、まだ空を支えてヘラクレスを助けようとしています。

⑪番犬ケルベロスを捕獲して連れて帰る：Herakles and Kerberos

　ヘラクレスは、死者の国に住むハデス：Hadesの番犬のケルベロスを連れてこい、と命令されました。ケルベロスとは、冥府でハデスの館の入口を守っている犬の頭を3つ持ち、尾は生きた蛇で、背中からも蛇の頭が無数に出ている怪物の猛犬です。この怪物を傷つけないという条件で、この奇妙な

※89 ギリシア神話に出てくる巨体をもって、両腕と頭で天を支えるとされる神。名前は「支える者」、「耐える」などを意味している。

番犬を生け捕りにするようにと命令されました。

　ヘラクレスは、この犬の首を両手で締めつけ、連れて帰りました。エウリュティオン王はケルベロスを見て、その恐ろしさに慄いて甕に逃げ込む様子が描かれています。

⑫アウゲイアス王の厩舎の清掃：The Cleaning of the Augeian Stables

　英雄ヘラクレスのエリス地区で起きた唯一の難業を描いたメトープは、特に良好な状態で保存されています。今度は鎧・兜をつけた戦士の女神のアテナが、持っていた槍を使ってヘラクレスがアルペイオス川とペーネイオス（Peneios）川の水をアウゲイアス王の厩舎に引き込んで中の汚物を洗い流すために掘るべき場所を指し示しています。これがエウリュステウス王の命であったことを知るとアウゲイアス王は、ヘラクレスに報酬を支払いませんでした。このことを知ったエウリュステウス王は、この仕事を10の数に入れることを拒否しました。

　こうしてヘラクレスは、エウリュティオン王に仕えている間に、英雄として他の人間には決してできない12の難業を次々と成し遂げました。のちに、オリンポスの神に連なったとされています。

パイオニオスの女神ニケ像

　ギャラリー6.のパイオニオスが制作したニケの像は、おそらく古代ギリシャ藝術のなかで最も鮮やかな像といえます。紀元前5世紀にメンデのパイオニオスの制作による、今では古代ギリシャ藝術の名作とされる翼のあるニケの像は、高い三角形の台座（高さ：8.81m）の上に立っており、ゼウス神殿の南東のコーナー近くにありました。ニケ像の高さは2.115 mで、像と土台の高さを合わせて10.92mもありました。この彫像は女神ニケが空から地球へと降りる瞬間の、何とも言えない素晴らしさがあり、輝きと若々しさのある翼をもった像として表現されています。

　そして、勝利の女神ニケが大空から大地へと降りてくる瞬間を表現してい

るかのようです。女神の翼はかつては赤色であったと思われるヒマティオンは崩れ落ちてしまっていますが、像の後ろと上に波を打つように広がり、バランスをとって飛んでいるような感覚を与えてくれます。女神のキトン:chiton※90が体に絡みつき、女神の女性らしい姿のすべてが明らかに見えています。ニケ神は自分の右足でバランスをとっていて、ゼウス神のワシの上に乗るようにわずかに伸びています。顔は、像が転倒し崩れたために残って

パイオニオス制作の女神ニケ像

いません。他に欠けているものとしては、翼の一部、体、衣服、そしてワシの金属製の翼です。

　「豪華なスタイル」を示す重要な例とみられるオリンピアのニケ像は、この像のシリーズの中でももっとも印象的なものであり、このほかの像としては、エピダウロス※91のアスクレピオス神殿にある「ティモテオスのニケ:

※90 古代ギリシャの男性と女性は通常、体の上に下着（キトンまたはペプロ）とマント（ヒマティオン、クラミー）の2枚の衣服をドレープさせて重ね着していた。
※91 ペロポネソス半島東部に位置する古代ギリシャの港湾都市

Nike of Timotheos」、紀元前200年―紀元前190年頃に制作された「サモト
ラケのニケ:Nike of Samothrace」のような傑作が続きます。

フェイディアスの工房の作品

　偉大な彫刻家フェイディアスがアテナイのアクロポリスで仕事をした後、
彼が古代における世界の七不思議のうちの一つとといわれているゼウス神
のクリセレファンタス像(金と象牙)を創作するために、紀元前440年―紀元
前430年にオリンピアでその制作にとりかかりました(22頁参照)。この彫刻
家と彼のチームのためにアルティスの西域に工房が建てられました。1958
年に、ゼウス像が制作されたと考えられるフェイディアスの工房が発見され
ました。巨大な像はゼウス神殿の中央通路の奥に位置し、ビザンツ帝国の
首都コンスタンティノープル(現在のイスタンブール)に運ばれる西暦394
年まで神殿に置かれていました。記録では、西暦475年の火事で焼失してし
まったと書かれています。

　ギャラリー7.には全知全能のゼウス神が玉座に座っていて、右手には
勝利の女神ニケの彫像を持ち、左手には鷲が止まった錫杖を持っていまし
た。全高は約12.4mあったと推定されます。紀元前1世紀頃の地理学者スト
ラボンはこれを見て「もし、ゼウス像が立ち上がったら、屋根を突き抜けて
しまうだろう」と記述しています。その像は、木の芯に金のシートと象牙が貼
られていました。パイオニオスによって玉座は金、黒檀、象牙で、基石には象
眼細工のガラス装飾的な要素が施されていました。神の裸体の部分、顔、腕
と手、胴体と脚の部分はすべて象牙が使われていました。右手にはニケ像、
左手にはワシが止まっている錫杖を持っていました。

　その他に工房の跡から出土した陶器の中で特別な展示物は、「フェイディ
アスの杯」として知られており保管されています。彫像を作るために彫刻家
と彼のチームによって使用された小さな金細工師のハンマー、骨のヘラ、
象牙の破片、骨を加工した道具などのような道具もあります。

プラクシテレス：Praxiteles※92 のヘルメス像

ギャラリー 8. では古代ギリシャの最も重要な彫刻の一つで、紀元前4世紀のアッティカの彫刻家であったプラクシテレス制作のヘルメス像の部屋になっています。像の高さは2.13m、パリアン産の大理石で作られた、ヘラ神殿の内陣におさめられており1877年に発見されました。ヘラ神殿に赤子のディオニソス：Dionysos※93を抱えたヘルメス神が立っていた、というパウサニアスによって記述された情報から確かめることができ、そこには「プラクシテレスによる藝術作品」と書かれています。ヘルメス像は裸のままで左腕は木の幹によりかかり、祭神、酒神、演劇の神、お祝いの神とされています。彼のヒマティオン

美しいヘルメス像

は、木の幹の上にかけられており、彼の上げられた右の手は、今はなくなってしまっていますが赤子にかけられ、それをじっと見つめていたようです。それは私たちがヘルメス神とディオニソス神の一連のものに見られるように、ぶどうの房が小さな神の象徴を示しているのかもしれません。

※92 紀元前 395 年―330 年。紀元前 4 世紀の最も有名であった彫刻家、等身大像で裸の女性像を彫刻した最初の人。
※93 成長して、ぶどうの栽培やその果汁から酒を造ることを発見したことで、別名をバッカスともいう。ギリシア神話の酒神。ときにオリンポス十二神の一人と数えられることもある。

その他の主な作品

　考古学博物館にはほかに、メトロオンとヘラ神殿で見つかった彫像の一部が展示されています。メトロオンからは、アグリッピナ※94の若い時の像（西暦15年―59年）が出土しています。アグリッピナは、クラウディウスの妻でありネロの母でもありました。皇后が巫女として描かれていることは、頭上からヒマティオンをかぶっていることからも明らかにわかります。また、ローマ皇帝ティトゥス：Titus（皇帝在位：西暦79年―81年）の肖像があります。そして、一見して将軍であることがわかるように頭上にはオーク（落葉樹のナラの総称）の花輪がかぶされています。

　ヘラ神殿からは、エリス人の貴族の像、ポッパエア・サビナ：Poppaea Sabina像、皇帝ティトゥスの弟である皇帝ドミティアヌス：Domitian の妻であるドミティア：Domitiaを表す像があります。

※94 ローマ帝国ユリウス・クラウディウス朝の皇族。正式の名前はユリア・アグリッピナ、皇帝ネロの母親として知られている。

古代ギリシャ陶器と
建築の特徴

1.陶器の形と用途

ギリシャ陶器は、用途によってさまざまな形があります。

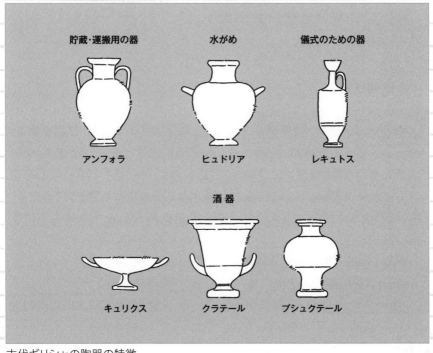

貯蔵・運搬用の器　　　　水がめ　　　　儀式のための器

アンフォラ　　　　ヒュドリア　　　　レキュトス

酒器

キュリクス　　　クラテール　　　プシュクテール

古代ギリシャの陶器の特徴

❶アンフォラ：最も一般的でワインやオリーブ油などの液体の貯蔵・運搬用。一部は精巧な絵付けをし、酒席用の豪華な酒器にも描かれています。

❷ヒュドリア：水を蓄えておく、または水差し用。精巧な装飾されているものもあります。

❸レキュトス：儀式のための器。香油壺。

❹キュリクス：ワイングラス用の酒杯。凝った装飾が内側に施されていました。

　クラーテル：原酒と水を混ぜる混酒用容器。一流の絵師が描いた。

　プシュクテール：ワインを冷やすために用いられた器。30センチ前後のものが多くあります。

ほかに、油、硬水、化粧品用の容器としてピュクシス、ラバストロンなどがありました。

2.建築様式

神殿には、3つの構成要素を持っていました。すなわち、**プロナオス**：pronaos（主室や神殿の内陣への入り口に相当する前室）、**ナオス**：naos（内陣、セラともいわれる。プロナオス、ナオス、オピストドモスなどを含む本殿全体、神殿において神像が安置されている主室）、**オピストドモス**：opisthodomos（神殿における内陣部の後ろにある部屋、宝物庫などに使用）でした。

神殿で彫刻または絵画で装飾されていたのは主に次の3ヵ所でした。

ペディメント：屋根と水平の梁のあいだの三角形の破風。

メトープ：水平部材の一部を形成している。前室と後室の入り口外側の上に設置されていました。

フリーズ：神室の壁面を飾っています。

　神殿建築は、最初期はごく簡素で、次第に様式が定まります。主な様式は、ドリス（ドーリス）様式、イオニア様式、コリント（コリントス）様式の3種類です。各様式の特徴は、柱頭（円柱の最上部、柱の上に載る梁の部分に続くための装飾されている）部分に明瞭にあらわれています。

　ドリス様式の柱頭は、簡素な台形で円柱は太くしっかりしています。礎盤（円柱の最下部で上からの過重を床に伝える部分：base）は、なしで建てられています。

　イオニア様式の柱頭は渦巻きによって装飾され、繊細で優美。柱身も細くなり軽やかな印象を与える。円柱はドリス様式に比べ細く、装飾的要素が多い。

　コリント様式の柱頭は、地中海地方のアカンサス（日本ではハアザミと呼ばれる）の葉8枚を二段に互い違いにデザイン化したもので華麗です。

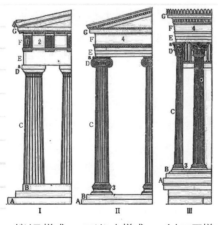

ドリス様式　　コリント様式　　イオニア様式

オリンピアにおける発掘の歴史から近代オリンピック大会の創設へ

古代ギリシャ文化の集大成ともいえるオリンピア遺跡からの発掘出土品は、古代オリンピックの歴史を物語っています。これらは主にギリシャ、ドイツ、フランスによる研究・調査の結果です。

古代オリンピック大会を識ることから、その理念を考究し近代オリンピック大会が創設されていきました。その過程を見ていきましょう。

4-1　オリンピアにおける遺跡発掘の歴史

　古代オリンピック競技博物館の横にある建物は、考古学者・研究者・政府などの関係者がオリンピアでの考古学的な発掘調査や研究をするための滞在場所でした。2004年に建物は改装され、古代オリンピアの聖地の発掘の歴史を知るための博物館（MUSEUM OF THE HISTORY OF EXCAVATIONS AT OLYMPIA）に生まれ変わりました。そこでは写真と視覚資料を通して、来館者はオリンピア遺跡における発掘の歴史を体系的にたどっていくことができました。また、ここはギリシャで実施された3つの古代遺跡調査のうち早くから実施された発掘調査の1つであり（ほかの２つはディピュロン：Dipylon※95とミケーネ：Mycenae※96）、この調査によって発掘調査のための規準つくりにも貢献しました。

ここでは、このオリンピアの地での遺跡発掘の歴史をたどってみましょう。

　オリンピア発掘調査・研究にあたっては、パウサニアスの著述内容と次々に現れる埋もれた遺構との整合性が問われていましたが、彼のその正確な観察眼は驚くに値す

発掘作業が入る前のオリンピアの様子（1877年）

るものであったといわれています。注意すべきは、遺構から発見される建造物の中にはローマ軍が侵入してきて、ローマ人によってこの地に建てられた浴場やネロ皇帝の屋敷なども混在しているということです。

　近代になってこの聖地を最初に発見したのは、オリンピアの地を訪れたイギリス人旅行者のチャンドラー：R.Chandler※97でした。当時、オリンピアの地は厚い埋積土に覆われ、この時点では、わずかにゼウス神殿の壁とローマ時代に建てられた壁が発見された程度でした。この時の様子を書いた彼の『ギリシャの旅："Travels in Greece"』を契機に、イギリスやフランスの研究者たちがこの地を訪れるようになりました。

　1767年、現代の考古学研究の創始者とされているドイツの美術史家ヴィンケルマン：J.J.Winckelmann※98によってオリンピアが新たな注目を浴びる

※95 アテネとギリシャの他の部分を結ぶ道路へと続く門があり、記念碑的な構造、「古代世界の最大の門」といわれた。アテネ要塞の一部として紀元前478年に建てられた。
※96 ペロポネソス半島東部に位置し、現在のミキネス市の2km西に位置する。1872年に、ドイツ人のH.シュリーマンによって遺跡が発掘され、古代ギリシャ以前の文明が発見された。
※97 1738年―1810年。イギリスの学者で大学卒業後に古物商を営む。1746年から66年にかけて旅行に出て、訪れた国の地理、歴史そして現地の住民に興味・関心を持ち、訪問した各地について比類のない単純さ、そして洞察力を用いて、可能な限り最も明快な方法で資料を作成していった。

ようになってきました。彼自身が、遺跡の発掘者になろうとしていましたが、殺害されたことで発掘調査は中断してしまいました。1799年にフランス人旅行者・探検家のプークヴィル：François C. H. L. Pouquevilleが、これに続きました。1806年にアイルランドの考古学者ドットウエル：E.Dodwellとイギリスの地形学者ゲル：W.Gellによってゼウス神殿で最初の発掘に取り掛かり、さらに1811年にイギリスとドイツの地形学者のカックレム：C.R.Cockerellとハラーシュタイン：C.Haller von Hallersteinが小規模の発掘を行いました。1813年になると、はじめて三角測量法を用いた遺跡の測地がギリシャ人のアラソン：Allasonとイギリス人のスタンホープ：J. Stanhope等によって実施され、オリンピアの最初の図面が作成されました。これらの調査の結果が古代オリンピアの発掘の契機となりましたが、1821年オスマン帝国（現在のトルコ）からの独立を目指すギリシャ独立戦争が起こり調査は中断してしまいました。

第1期（19世紀中頃）

　独立戦争後のギリシャ国家建設直後の1829年に、フランスのメイスン：N.I.Maison将軍が率いるモレア（現在のペロポネソス半島）の学術調査派遣隊（Expedition Scientifique de Moree）が組織され、その指揮のもとブルエ：A.Blouetと ズボイス：J.J.Duboisの合同調査による最初の発掘が約2ヵ月間行われゼウス神殿が発見され、これによってオリンピア遺跡が陽の目を見るきっかけとなりました。神殿の一部の初期古典時代のメトープの一部・破片なども見つかりました。その成果は、1834年『"Expedition Scientifique de Moree"：モレアにおける科学的探検旅行』の全3巻のうちの第1巻に収められ、また、発掘品はフランスに持ち帰られて現在パリのルーヴル美術館に展示されています。

※98 1717年—1786年。苦学して大学に入学し神学を学ぶ。ドイツの美術史家。ギリシャの古典文学に憧れ、独学でギリシャに関する研究を続けた。「現代考古学の父」といわれ科学的考古学の創始者の一人といわれる。1768年にウィーンへ行くが、ローマに戻る途中に殺害された。

第2期（1875年―1881年）

　聖地に関する体系的な発掘調査は、1875年にドイツ考古学研究所のクルティウス：E.Curtius、アドラー：F. Adlerの指揮による長年にわたる発掘調査の結果について、それぞれの条件と義務を定義した協定にギリシャとドイツとの間で調印されたことに始まります。最初の発掘期間となる1875年から1881年までのあいだにほとんどの建物が発見されました。E.クルティウスをはじめとした8人らによる最初の成果は、5冊の大報告書となる"OLYMPIA"に発表されました。最後に総合報告書がまとめられ発表されたのは第1回近代オリンピック大会が開催された翌年の1897年でした。

　数々の発掘品が発見されたとともに、特筆すべきは、発掘者は発掘品を持ち去ることを原則禁止し、また発掘品は現場に残しアテネには運搬しないことを取り決めたことでした。

第3期（1906年―1929年）

　続いて1906年からは途中中断しましたが、1929年にかけて行われたW. デルプフェルトやシュライフ：H.Schleifによる2回の発掘期間の成果は、1935年になって『古代のオリンピア："Alt-Olympia"』として報告書にまとめられて発表されました。

第4期（1936年―1942年）

　1936年に第36回オリンピック大会がベルリンで開催されました。このオリンピックへの熱気はヒットラーによってドイツ国民の発揚となり、1936年にドイツ人のゲルカン：A. v. Gerkanの事前調査に始まり、翌年ハンペ：v. R. Hampeとヤンツェン：U. Jantzenによって新しく発掘作業が実施されました。さらに1937年から1942年にかけては、発掘調査はクンツェ：E.KunzeとH.シュライフが担当して競技場に集中して実施されましたが、1942年には第二次世界大戦によって発掘調査が中断され、オリンピアの地は駐留軍によって占拠され大きな被害を被りました。

第5期（1952年―1966年）

　戦後の研究は、1952年にE. クンツェとマルヴィッツ：A.Mallwitzの監督・指揮のもとに始まりました。この十数年間では、ローマ時代の大規模な建造物群も発掘され明らかになってきました。E. クンツェが指揮して始まった発掘調査は15年の月日をかけ、スタディアムの発掘と原形復旧、温水浴場、南の会堂（South Stoa）、レオニダイオンの発見、西方域でのギリシャの浴場（パライストラの近傍_{きんぼう}）での発掘調査、北側では銅器類、陶磁器、赤焼類などの発見と大きな成果をもたらしました。

　現在進行中のものは、文化省と地元の考古学研究の行政官の監督のもとで、ドイツ考古学研究所による小規模な発掘作業と修復作業が進行中です。研究の結果は、毎年刊行される学術誌『 "Olympische Forschungen "（オリンピシェ・フォルシュンゲン）：オリンピア研究』および『"Berichte über die Ausgrabungen in Olympia"（ベリシュ・ユーバー・ダイ・アウスグラブンゲン イン・オリンピア）：オリンピアでの発掘報告』）に発表されています。

4－2　古代オリンピック競技博物館と近代オリンピック博物館の創設へ

　古代オリンピック競技博物館の入り口の横に、W. デルプフェルトの計画の後にH.シュライフによって作られた神域の模型を見ることができます。これは、1931年にドイツ皇帝ヴィルヘルムⅡ世によってオリンピア博物館に寄贈されたものです。次に展示されているものは、発掘が始まる前の遺跡の平面図、最初の発掘からの写真、1875年の聖地の発掘調査に関するギリシャとドイツとの間の歴史的合意の文書、遺跡の測量器具や発掘道具、遺跡に関連した考古学者の写真、発掘調査に関連する多くの記録文書、最近の発掘の模様の写真、オリンピアで調査に従事したドイツ人学者のリスト、そして古代ギリシャの皇帝のリストなどもあります。

パパステファノウ：G.Papastefanou-Provataskis（1890年—1978年）によって、近代オリンピック競技博物館：MUSEUM OF THE MODERN OLYMPIC GAMESを創設しようという動きが起こりました。1961年にオリンピア市内の旧小学校を買いとり、1961年にアマチュア・オリンピック博物館を設立し、1964年にこれをギリシャオリンピック委員会に寄付しました。

　ここの展示品には、珍しい写真、彫刻、勝利者の名誉の勲記、ポスター、そしてG. パパステファノウによって収集されたユニークな切手のコレクションなど、近代オリンピックに関連するものが含まれています。特に興味深いのは、1896年の第1回アテネで開催された近代オリンピック大会のためにニキフォロス・リトラス：Nikephoros Lytras※99がデザインした金メダルです。

　オリンピックの復活運動で特にギリシャ人ザッパス：E. Zappas※100のギリシャオリンピック大会の開催（1859年、1870年、1875年、1888年）に尽力したことは特筆すべきものがあります。さらに最も重要な動きとしてオリンピック大会の復活が、1896年にフランスの貴族ピエール・ド・クーベルタン：Pierre de Coubertinによって

P.クーベルタン男爵の像（東京・代々木）

※99 1832年—1904年。19世紀ギリシャの画家。ミュンヘンの王立芸術学校の奨学金を得て、研究を終えた後に1866年に芸術学部の教授となる。アテネへの帰国後、アテネ美術学校の絵画部門の教授となる。

ついに歴史的に達成されたのです。

　クロノスの丘とオリンピア競技場の間を東へ、国際オリンピック・アカデミー：International Olympic Academy※101の敷地内に入る手前の左に入る道を進むと、オリンピック競技の復活を唱え「大切なことは、勝つことより参加することだ」という言葉を愛したP.クーベルタン男爵が、死の間際に「自分の心臓を永遠にオリンピアに留めたい」と願ったことで、この記念碑の下に埋められたという墓碑があります。

　なお、近代オリンピック競技博物館は、国際オリンピック委員会（IOC）の本部のあるスイスのローザンヌにあります。このオリンピック・ミュージアムの完成は1993年ですが、大会ごとに増大する貴重なコレクションをより多く、より魅力的に紹介するため2013年12月にリニューアルオープンしました。オリンピックの理念を世界中の人々に伝えるという近代オリンピックの父、クーベルタン男爵の意志を受け継いで、古代オリンピックの様子を物語るギリシャ時代の貴重な品々や、1896年のアテネ大会からはじまる夏・冬の近代オリンピックの歴史を網羅する膨大なコレクションが展示、保管されています。

※100 1800年—1865年。ギリシャの慈善家。オットー王（1832年にギリシャの最初の王）は、工業と農業博覧会に一致するように、ザッパスがスポンサーとなり、4年ごとに陸上競技大会を組織することに合意した。その結果、ザッパスはギリシャ政府にオリンピック信託基金を設立するのに必要な財源を提供した。1859年11月15日に、将来のオリンピックのスポンサーとなりオリンピアードを復活させることを計画した。1865年に亡くなったがギリシャの首都アテネに恒久施設を建設し、4年間隔でオリンピックを継続するためにも、大きな財産を残した。ここに最初の近代的なオリンピックが復活した。
※101 多大な寄付金を集め、1961年に設立され、本部はギリシャのアテネにあり、ギリシアオリンピック委員会の管轄で運営されている。なお、南山大学の国分敬治（1907年—1997年）名誉教授の胸像がある。日本人として古代ギリシャやギリシャ哲学をはじめとした研究の功績により1981年オリンピア市から名誉市民の称号を受け、本人の遺志で没後町中の人々が集う広場に胸像が建立された。

4-3 日本におけるオリンピック・メモリアルギャラリー

　日本でもオリンピックに関する博物館が設立されています。2020年の東京大会開催を記念して、新国立競技場前の東京都新宿区霞ヶ丘町に日本オリンピックミュージアムが2019年9月14日に新しくオープンしました。

　日本オリンピック委員会（JOC）とアスリート、来館者が共に創り上げる「日本のオリンピック・ムーブメントの発信拠点」をコンセプトに、過去の大会の聖火リレーに用いられたトーチやメダルなどの貴重な資料、さまざまな映像やトップアスリートの身体能力を体験できるアトラクションを通じてオリンピックの歴史や意義を学ぶことができる施設となっています。屋外広場では、過去日本で開催された大会の聖火台の模型や、近代オリンピックの父といわれるP. クーベルタン男爵と日本のオリンピック初参加に尽力した嘉納治五郎氏の像などを見ることができます。

　また、2020年大会の特徴として地球環境を考慮し、メイン会場となる国立競技場には日本の建築様式の特徴を取り入れた装飾や家具の素材などを使用するなど、施設のデザインにもさまざまな工夫がされています。

　東京以外にも札幌市には1972年第11回冬季オリンピック大会が開催されたことを記念して「札幌オリンピックミュージアム」、長野市には1998年第18回冬季オリンピック大会の開催を記念した「長野オリンピックミュージアム」がそれぞれあります。

" オリンピック大会における
藝術競技について "

　藝術競技とは、かつて近代オリンピック大会で採用されていたオリンピック競技の一つとして取りあげられました。種目は絵画、彫刻、文学、建築、音楽があり、スポーツを題材にした藝術作品を制作し採点により順位を競うものでした。しかし、その源は古代オリンピックにすでに表れていました。古代オリンピック大会の歴史の中で、美の対象は大会に参加する男性の肉体美を競うことも狙いがあったのです。また、競技に関する古代ギリシャ神話に出てくる神々に対する畏敬と感謝の象徴として花瓶や容器など日・実用品の中に神々や競技の様子などを描いた器が、時代の変遷や素材の変化でいろいろと変わっていきました。その様子は、オリンピアの遺跡発掘作業の中で明らかにされていきました。オリンピアの地は単にアスリートたちだけの地ではなく、彫刻家や器などの制作に携わった工房でつくられ、またギリシャ全土にわたってその技術は伝わり、また東洋（小アジア）へもその影響をおよぼし、同時に東洋からもその影響を受けたことを作品から見ることができます。

　古代オリンピックは神を称えるという信仰的要素が強いものであり、その点で、スポーツは強く美しい肉体で神を表現することから生まれたものであり、藝術表現も同じく神を表現する一手段と考えられていました。

　また、近代オリンピックにおいてもその理念として「肉体と精神の向上の場」が掲げられており、クーベルタン男爵の希望もあり藝術競技が採用されることになりました。1912年ストックホルム大会から1948年ロンドン大会ま

で合計7回の大会で正式競技として実施されました。1952年ヘルシンキ大会以降は、オリンピック精神に則り競技ではなく文化プログラムとしての藝術展示が行われるようになりました。このような藝術展示を行うことは、オリンピック憲章にも定められています。

　しかし、藝術を採点するということは参加作品について客観的な基準をもって採点を行うことが困難であり、しばしば恣意的な判定があったのではないかとの批判が生じたことが理由となって廃止されることになりました。ただし、このような批判は現在においてもフィギュアスケート、アーティスティック・スイミング（旧シンクロナイズド・スイミング）、体操等の種目において藝術的要素が重視される競技に要素が残っています。近代オリンピックが「世界的な祭典」となり各国のトップアスリートによる、オリンピックのモットーとして有名な、「**より速く、より高く、より強く（Citius・Altius・Fortius）**」という競技の場として変貌していき、良くも悪くも記録とメダルの数を競うスポーツ大会になってきています。

　オリンピック・パラリンピックは、文化の祭典でもあります。オリンピック・パラリンピックの文化プログラム（文化オリンピアード）をテーマにしたトークセッションや被災地を「音楽で繋ぐ」コンサートを通じて、2020年の東京大会直前から実施するフェスティバル等東京都や神奈川県などの各地で文化イベントが開かれることになっています。

カタコロン市街地

　令和元（2019）年、私はクルージング（大型客船旅行）によってアドリア海、イオニア海、エーゲ海の海を見たかったことから、令和時代最初の旅行目的地にここを選びました。クルージングの寄港地では、毎日オプショナルツアーに参加しましたが、その中でギリシャではオリンピアと首都のアテネに立ち寄ることになっていました。クルーズ船は、イオニア海にあるエメラルド・グリーンの美しい海のオリンピアへのゲートウェイにあたるカタコロン港に入港しました。クルージングの大型客船が、2隻くらい着岸できるくらいの小さな港でした。そこから、チャーターバスに乗って約40分でオリンピアの街に到着します。この街は小さいながらも旧鉄道駅、ホテル・レストランも数件あり、ゆっくりとオリンピア遺跡や博物館を見学できるようになっています。翌々日の寄港地のアテネでは、近代オリンピック大会の会場やアクアポリス神殿などを見学しました。

　古代オリンピック競技の歴史そのものについては、古代オリンピックがどのような経緯で開催され始めたのかは神話との関係などで諸説あるようです。本書にも少し紹介しましたが専門のギリシア神話の解説書があるのでそこに譲りたいと思います。

　本書を書くにあたって、自ら現地の遺跡や博物館を見て、触れて書き上げ

ることができたのは喜びとするところです。しかし、博物館に展示されていた貴重な藝術品の数々をここに示すことは、著作権の問題などでできなかったことが残念なことでした。しかし、美術本や多くの本で写真が掲載されているのでそれらにあたってみてください。そうすることで、読書の量や知識の幅も増えることと思います。何より最善の方法は、現物を見ることです。機会を見つけてぜひ現地を訪れることをお勧めします。

　皆さんには大会の競技だけでなく、オリンピックの歴史や古代ギリシャの藝術性や信仰・神話との結びつきなどにも関心を寄せていただきたいと思っております。読者の中から近代オリンピック競技だけでなく古代ギリシャの世界に興味・関心を持っていただければこの上ない幸せです。また、本書がオリンピア遺跡およびオリンピア考古博物館見学等オリンピアの地を訪れる際の一助になれば幸いに思います。

　2020年東京オリンピック開催を機にオリンピックの意義・歴史・オリンピック発祥の地オリンピアについて、中学生・高校生向けに解説した本を書くことを勧めてくださった出版社悠光堂にご協力をしていただけることになりました。出版にあたり悠光堂代表の佐藤裕介氏からは、多くのご教示をいただきました。制作進行や困難な著作権の許諾交渉にあたってくださった同社の冨永彩花氏、また編集にあたっては三坂輝プロダクションの三坂輝様から細部にわたりご教示をいただきました。また、本書に図版の引用・転載を許可してくださった岩波書店様には心から謝意を表します。表紙デザインや本文中のイラストについてはNEOGEO社の植原幸治様のご協力を得ました。これらの方々にあわせて感謝の意を表します。

補遺1. オリンピック賛歌

大空と大地に　清気あふれて
不滅の栄光に　輝く
高貴と真実と　美をば造りし
古代の神霊を　崇めよ
すべての競技に　ふるいたてよ
みどりの枝の　栄冠を
めざしてここに　闘う者に
鉄のごとき力と　新たなる
精神とを　あたえよ

野山も海原も　いまこそきらめく
真紅と純白の　神殿に
世界の国民 四方の国より
聖なる園に
集いきたるは
古き昔の
永遠なる　精神の
御前にひれふすためぞ

（日本語訳：野上彰による訳詞が 1964 年東京大会以降使用される。2018 年よりパブリックドメインとなる。）

補遺2. 古代ギリシャの地図

（桜井万里子・橋場弦 編『古代オリンピック』岩波書店より一部引用）

補遺3. 古代オリンピックにおける競技種目の導入

	紀元前	競 技 種 目
第1回	776年	スタディアム・レース（短距離走）
第14回	724	ディアウロス（スタディアムの往復競争）
第15回	720	ドリコス（長距離走）
第18回	708	ペンタスロン（五種競技）とレスリング
第23回	688	ボクシング
第25回	680	テトリッポス（4頭立て戦車競走）
第33回	648	競馬とパンクラチオン（ボクシングとレスリングを結合した格闘技）
第37回	632	少年の徒競走とレスリング
第38回	628	少年のペンタスロン（この回のみ）
第41回	616	少年のボクシング
第65回	520	武装競争
第70回	500	アベーネ（2頭のラバによる戦車競走）
第71回	496	カルペ（仔馬レース）
第84回	444	アベーネとカルペの中止
第93回	408	シュノリス（2頭立て戦車レース）
第96回	396	式部官とラッパ手の競技
第99回	384	子馬によるテトリッポス（4頭立て戦車競走）
第128回	268	子馬によるシュノリス（2頭立て戦車競走）
第131回	256	子馬の競技
第165回	200	少年のパンクラチオン

補遺4. 近代オリンピックにおける主な出来事

	開催年	開催国	開催都市	主　な　事　項
第1回	1896	ギリシャ	アテネ	資金不足に悩む
第2回	1900	フランス	パリ	万国博覧会と同時開催し成功、女性の初参加（テニスとゴルフ）
第3回	1904	アメリカ	セントルイス	北アメリカ大陸での初、万国博覧会と同時開催し成功
第4回	1908	イギリス	ロンドン	本来のオリンピックとしての体制が整い始める
第5回	1912	スウェーデン	ストックホルム	日本初参加（2名）
第6回	1916	ドイツ	ベルリン	第一次世界大戦で中止
第7回	1920	ベルギー	アントワープ	選手村ができる
第8回	1924	フランス	パリ	第1回冬季大会開催（シャモニー・モンブラン）
第9回	1928	オランダ	アムステルダム	16日間前後の開催
第11回	1936	ドイツ	ベルリン	聖火リレー、記録映画の制作
第12回	1940	日本→ヘルシンキ	東京→フィンランド	日中戦争・第二次世界大戦で中止（初のアジアでの大会になる予定であった）
第13回	1944	イギリス	ロンドン	第二次世界大戦で中止
第14回	1948	イギリス	ロンドン	大戦後の大会復活・日本不参加
第16回	1956	オーストラリア	メルボルン	オーストラリア大陸での初開催
第18回	1964	日本	東京	アジアでの初開催
	1972	日本	札幌	日本で初の第11回冬季オリンピック
第22回	1980	ソビエト連邦	モスクワ	ソ連のアフガニスタン侵攻に反発した日本などの西側諸国がボイコット

第23回	1984	アメリカ	ロサンジェルス	オリンピックの商業主義が始まる?
	1994	ノルウェー	リレハンメル	夏季とは別に冬季を開催(第17回)
	1998	日本	長野	日本での2回目の冬季開催(第18回)
第28回	2004	ギリシャ	アテネ	
第29回	2008	中国	北京・香港	パラリンピックの開催
第31回	2016	ブラジル	リオジャネイロ	南アメリカ大陸で初の開催
第32回	2020	日本	東京	2021年に延期
	2022	中国	北京	第24回冬季オリンピック(開催予定)
第33回	2024	フランス	パリ	(開催予定)
	2026	イタリア	ミラノ	第25回冬季オリンピック(開催予定)
第34回	2028	アメリカ	ロサンジェルス	(開催予定)

・夏季大会において第1回大会からすべて参加しているのは、ギリシャ・イギリス・フランス・スイス・オーストラリアの5ヵ国のみです。
・1912年（第5回）のストックホルム大会から1944年（第14回）のロンドン大会（中止）まで「藝術競技」が実施されていました。これはクーベルタン男爵の古代オリンピックの姿を理想とし、藝術をオリンピック大会に加えることを希望したためでした。しかし、1952年（第15回）のヘルシンキ大会からは廃止され、その代わりに関係地の大会組織委員会が、演劇・コンサート・絵画展など、それぞれ特色のある文化・藝術プログラムが開催されるようになりました。

【参考図書】

　さらに詳しく知りたい方のための参考図書（ただし、下にあげた文献は刊行年が古いものが多く書店では入手しにくので公共図書館などで閲覧されたい。）

　F.メゾー 著、大島鎌吉 訳（1973）『古代オリンピックの歴史』ベースボールマガジン、340頁。

　N.ヤルウリス・O.シミチェク 監修、成田十次郎・水田　徹 訳（1981）『古代オリンピック―その競技と文化―』講談社、303頁。

　J.スワドリング 著、穂積八州雄 訳（1994）『古代オリンピック』日本放送出版協会、117頁。

　桜井万里子・橋場　弦 編（2004）『古代オリンピック』（岩波新書901）岩波書店、223頁。

　中村るい 著・加藤公大 画（2017）『ギリシャ美術史入門』三元社、223頁。

　澤柳大五郎 著（1970）『ギリシアの美術』（岩波新書青版520）岩波書店、261頁。

　楠見千鶴子 著（2004）『ギリシアの古代オリンピック』講談社、238頁。

　西川　亮・後藤　淳 著（2004）『オリンピックのルーツを訪ねて』協同出版、143頁。

　堀口正弘著（2005）『オリンピア祭』近代文芸社、178頁。

　髙畠純夫・齋藤貴弘・竹内一博 著（2018）『図説　古代ギリシアの暮らし』河出書房新社、127頁。

　C.オクスレード・D.ボールハイマー著、成田十次郎日本語版監修（2008）『オリンピック大百科』あすなろ書房、56頁。

　Vikatou, Olympia :『OLYMPIA』,（2006）, Ekdotike Athenon S.A.,173p.

【図版出典一覧（数字は、本書該当頁）】

　桜井万里子・橋場　弦 編『古代オリンピック』岩波書店。
　（65、71、78、79、86、127、139）

　澤柳大五郎 著『ギリシアの美術』岩波書店。
　（125）

著者紹介

長田　享一（ながた　きょういち）

　1947年神戸市に生まれる。大学卒業後公立学校教員となるが3年半で退職し、石油探鉱開発会社に就職、主に国内の探鉱・開発作業に従事する。在職中に技術経営専門職大学院にてイノベーション理論を専攻し、MOT（技術経営）修士号取得。2010年定年退職し、科学・技術に関する調査・教育法、技術経営に関するなどコンサルタント業の技術士事務所を開設する。著作は、『世界を変えた科学者たち』（翻訳・悠光堂）、『すべての生命は対話している』（『INOCHi』・展望社）、専門の微化石・石油探鉱に関する論文・報告書など。

　東京都練馬区在住。

イラスト・デザイン

植原　幸治　（うえはら　こうじ）

　1961年大阪市に生まれる。大学で美術を専攻し卒業後、大阪市にグラフィックデザイン事務所NEOGEO（ネオジオ）を設立、イラスト・キャラクター制作・広告・セールスプロモーション等、活動中。JAGDA会員。

中学生・高校生に贈る　古代オリンピックへの旅
遺跡・藝術・神話を訪ねて

2020年7月24日　　初版第一刷発行

著　者	長田 享一
発行人	佐藤 裕介
編集人	冨永 彩花
発行所	株式会社 悠光堂
	〒104-0045 東京都中央区築地6-4-5 シティスクエア築地1103
	電話：03-6264-0523　FAX：03-6264-0524
制　作	三坂輝プロダクション
印刷・製本	明和印刷株式会社

ISBN978-4-909348-29-6 C0075　　© 2020 Kyoichi Nagata, Printed in Japan